LE MONDE DIPLOMATIQUE

D0727292

Ce livre reprend le contenu de la brochure « Manière de voir, n° 4 », publiée sous le même titre par *Le Monde diplomatique* en février 1989.

Les articles publiés dans ce livre sont parus dans *Le Monde diplomatique* aux dates indiquées ci-dessous. Ils ont fait l'objet d'une remise à jour et leur titre a été, parfois, modifié.

Le Monde diplomatique

La paix des grands
l'espoir des pauvres

*Désarmement, développement
et survie de l'humanité*

Préface de Claude Julien

LA DÉCOUVERTE/LE MONDE
PARIS, 1989

Si vous désirez être tenu régulièrement informé de nos parutions, il vous suffit d'envoyer vos nom et adresse aux Éditions La Découverte, 1, place Paul-Painlevé, 75005 Paris. Vous recevrez gratuitement notre bulletin trimestriel **A La Découverte.**

Préface : au seuil d'une ère nouvelle

Jamais dans l'histoire la paix n'avait été aussi meurtrière. Voilà déjà quarante-quatre ans qu'elle dure, quarante-quatre ans que tout véritable conflit armé a épargné les territoires des principaux belligérants de la Seconde Guerre mondiale, alors que vingt et un ans à peine séparent la capitulation allemande à Rethondes de l'entrée des troupes nazies en Pologne. Longue et bienheureuse paix du monde civilisé, industrialisé, armé jusqu'aux dents...

Dans le même temps, la violence a fait rage en Amérique latine, en Afrique, en Asie. Dix-sept millions de morts sous des cieux exotiques, en des paysages de jungles, de déserts, de rizières. Guerres de décolonisation, sanglants combats interethniques, impitoyables luttes révolutionnaires, rivalités de nations voisines : comment diable des pays aussi pauvres ont-ils pu, à prix d'or, acheter de telles quantités d'armes modernes, instruments sophistiqués de leur passion et de leur propre destruction ? Jamais les fournisseurs ne leur ont fait défaut. Altruistes, ils leur ont même offert d'alléchantes

5

facilités de crédit, et parfois les services gratuits d'experts ou de conseillers militaires. Une aussi louable générosité ne suffisait pourtant pas. Alors, un peu à la manière des firmes multinationales qui, en quête de main-d'œuvre bon marché, transfèrent dans les tiers mondes leurs centres de production industrielle, les grands ont « délocalisé » leurs conflits. Les compagnies d'assurances leur donnent raison : dans les zones pauvres, la vie humaine coûte, elle aussi, moins cher... D'excellents gestionnaires ont compris qu'il était plus rentable de s'affronter par petits pays interposés pour élargir les sphères d'influence. Est et Ouest confondus, le monde civilisé sauvegardait ainsi sa propre paix.

Il ne succombait pas pour autant aux délices débilitantes d'une quiétude qui l'eût dangereusement assoupi. En même temps qu'ils cultivaient au loin l'amitié de régimes qui leur offriraient des bases avancées, deux blocs irréconciliables renforçaient chez eux leurs défenses, diversifiaient la gamme infinie de leurs systèmes d'armes, accroissaient la portée, la précision, la puissance de leurs vecteurs offensifs. Car, à défaut de guerre par procuration, ou en cas de dérapage d'un lointain conflit mal maîtrisé, une confrontation directe des superpuissances restait dans le champ du possible. Une faible portion d'humanité vit ainsi depuis quatre décennies dans cette étrange paix fondée sur la permanence des conflits périphériques et sur la capacité de détruire plusieurs dizaines de fois l'ensemble de la planète.

Paix chez les riches, guerres chez les pauvres : cet évangile d'une modernité déjà essoufflée coûte horriblement cher aux uns et aux autres. Aux États-Unis et en Union soviétique, l'effort militaire mobilise plusieurs centaines de milliers de savants et d'ingénieurs de haut niveau, engloutit 1,5 milliard de dollars par jour. D'aussi vastes ressources humaines, scientifiques et financières n'auraient-elles pas pu être plus judicieusement utilisées ? Par exemple pour lutter contre la malnutrition et la famine, pour scolariser des centaines de millions d'enfants, pour offrir à des multitudes l'accès à l'eau potable et aux soins de santé élémentaires, pour poser les bases d'un développement économique et humain, atténuer d'insupportables déséquilibres ?

Sans doute. Mais si sa raison accomplit des prouesses dans tous les domaines de la connaissance, l'être humain raisonne mal ses peurs, ses passions, ses intérêts. Peur raisonnable de la puissance adverse, qui le conduit à accumuler les plus déraisonnables arsenaux pour découvrir bien tard que sa sécurité n'en est pas mieux assurée. Passions et intérêts que l'expérience et le savoir-faire recommandent d'habiller de constructions rationnelles qui, contre toute raison, accouchent d'un marxisme bureaucratisé et d'un néolibéralisme archaïque. L'Est et l'Ouest sont tous deux malades de leurs cultures, l'une et l'autre inadaptées aux moyens de puissance dont ils disposent comme aux défis du troisième millénaire. Comment alors s'étonner que les deux camps aient si souvent, par leurs actes les plus solennels, démenti leurs principes les plus chers ?

Et soudain quelque chose a bougé. Soudain ? Dans ce monde où tout change à vive allure, il y fallut en réalité un lent, très lent cheminement, jalonné de déconvenues (au Vietnam, en Afghanistan) pour finalement faire buter sur des limitations budgétaires d'infinies rêveries idéologiques. La société la plus libre, la plus souple, la plus avancée, qui si souvent a fait la preuve

7

de sa stupéfiante capacité d'adaptation, serait-elle la première à crier casse-cou, à changer de cap, à explorer des voies nouvelles ? Grisée par sa confiance en soi, intoxiquée par son idéologie néolibérale, pilotée par un homme souriant mais peu porté à la réflexion, elle eut toutefois le mérite de saisir, avec d'extrêmes précautions, comme si elle craignait de se brûler les doigts, la perche que lui tendait la société la plus sclérosée, la plus rigide, la plus figée. La remise en question a pris naissance au pays des immuables certitudes.

Rien n'est joué, rien n'est gagné. Mais de clairs indices signalent un changement qui peut être décisif. Les grands ont enfin compris que la course aux armements est aujourd'hui la seule qui ne comporte pas de ligne d'arrivée, qu'elle est très exactement sans autre fin que l'anéantissement de toute vie humaine. Prodige de lucidité, ils ont même compris que les armes n'étaient ni le seul ni le meilleur fondement de la paix... Que les instruments de guerre étaient moins déterminants que le nerf de la guerre : l'argent, la puissance économique. Que la compétition se portait sur d'autres champs de bataille : bataille d'idées, bataille pour un développement plus harmonieux de cette planète disloquée, bataille pour sauvegarder tout ce qui permet la vie biologique, bataille pour maîtriser en commun l'utilisation de ces technologies qui annoncent une ère nouvelle de la civilisation mais qui peuvent tout aussi bien, par leur puissance destructrice, engloutir toute civilisation dans une glaciation planétaire.

Lueur d'espoir et ombre de scepticisme se mêlent dans le regard que portent sur les grands ceux qui n'ont guère droit à la parole. Qui donc se soucie d'eux ? Les grands se moquent tout aussi bien de fraternité humaine et de justice mondiale que du Sermon sur la montagne ou de l'internationalisme prolétarien... Seuls les guident leurs propres intérêts nationaux, ou du moins les fluctuantes définitions qu'en donnent leurs changeants experts. Ils en avaient précisé une conception primitive qui, confortée par quatre décennies d'une paix apparente, conduisait au désastre. Le doute a maintenant pénétré leurs esprits. Ils tentent donc de modifier les règles du jeu, d'esquisser d'autres objectifs, plus prometteurs, qui appelleront d'autres stratégies et une autre allocation des ressources disponibles. Jamais ils n'y parviendront si, véhiculées par de médiocres médias asservis à l'argent, les idées d'hier prétendent façonner le monde de demain.

I

Interdépendances

Le niveau de vie de l'ouvrier ou de l'instituteur en France, de l'infirmière britannique ou du cultivateur allemand se joue dans la gigantesque partie de bras de fer engagée entre pays voisins ou éloignés. Le prix des matières premières produites dans le tiers monde, et dont dépend le sort de millions de personnes, est fixé sur les marchés à terme dont le siège est à New York, à Chicago ou à Londres. La disparition des forêts éthiopienne, ivoirienne ou amazonienne provoque un effet de serre et un dangereux réchauffement de l'ensemble de la planète. Pour la première fois depuis l'apparition de l'homme, le monde est vraiment interdépendant : chaque décision prise dans une capitale a des répercussions, grandes ou petites, sur le reste de la planète. Les gouvernements sauront-ils en tirer toutes les conséquences ?

1

Planète

Par Claude Julien

Des grands affrontements économiques, de la prolifération des armes, de l'avenir d'un environnement menacé, dépendent le mode de vie et le futur de chacun. Lentement, une page se tourne et, dans l'ébranlement des vieilles idées, émergent les lignes de force d'une nouvelle configuration mondiale en pleine mutation.

« Notre principale tâche est de profiter des changements en cours pour essayer d'influer sur les événements afin d'établir un monde sûr, plus humain, à l'abri du danger. »

Manfred WORNER [1]

Dans quel type de société voulez-vous vivre ? Dans une société libre, prospère, résolue à corriger inlassa-

---

1. Ancien ministre ouest-allemand de la Défense, secrétaire général de l'OTAN, *Newsweek*, 10 octobre 1988.

blement les injustices, capable d'offrir à chacun de bonnes chances de mettre en valeur ses dons personnels, de s'épanouir au service de la communauté humaine? Cette société-là n'a rien de chimérique, mais elle ne peut prendre corps que dans la mesure où les grandes décisions qui façonnent la vie de chaque pays s'adaptent avec précision à une exacte perception de l'environne ment international. Phénomène très rare...

Ainsi, les facilités qu'assurait un marché captif — l'ancien empire colonial — ont longtemps voilé aux gouvernements et à beaucoup de chefs d'entreprise l'âpreté de la compétition industrielle qui allait frapper de plein fouet. Une méconnaissance des courants d'échange a fait échouer la relance socialiste de 1981 : la stimulation de la demande interne a gonflé les importations et déséquilibré la balance commerciale, imposant un retour à la « rigueur ». Une confiance aveugle en l'idéologie libérale a permis au gouvernement Chirac d'être pris au dépourvu par le « hoquet » boursier d'octobre 1987, qui l'obligea à geler son programme de privatisations, sur lequel il fondait pourtant de si grands espoirs. Une surestimation de la menace extérieure peut détourner vers la production d'armements des ressources qui seraient plus rentables dans d'autres secteurs. Une attitude irréaliste à l'égard de l'endettement du tiers monde a fermé aux pays industrialisés des débouchés qui, jusqu'alors, avaient soutenu leur production et donc contenu le chômage.

Dans les discours électoraux, ces grands problèmes sont, au mieux, vaguement évoqués par une rapide référence à la « contrainte externe », allusion sibylline aux réalités mondiales qui déterminent pourtant la prospérité de chaque pays, sa plus ou moins grande aptitude à assurer un minimum d'équité sociale, à garantir aux citoyens une élémentaire égalité des chances.

A l'intersection du national et de l'international

Les organisations syndicales en seront-elles surprises ? Toujours est-il que leurs revendications et mouvements de grève — infirmières, gardiens de prison, enseignants, fonctionnaires — lancés à l'automne 1988 constituent, consciemment ou non, une réponse à une politique étrangère qui ne permet pas de satisfaire les aspirations d'importantes couches de la population. La défense du pouvoir d'achat passe par des actions menées à la base, mais elles-mêmes inscrites dans les grands affrontements économiques mondiaux.

Le niveau de vie de l'ouvrier et de l'instituteur, du postier ou du cultivateur, se joue dans la gigantesque partie de bras de fer engagée entre pays voisins ou fort éloignés, sûrs de leur puissance ou doutant de leur survie, vastes ou réduits à une minuscule tache sur les planisphères.

Chaque nation poursuit un objectif prioritaire, fin traditionnelle de toute politique étrangère : assurer sa sécurité. Essentiellement confiée, pendant des siècles, à la force de ses armées, cette sécurité nationale repose désormais sur une stratégie globale qui, en une délicate combinaison sujette à de changeants dosages, allie avec plus ou moins de bonheur ses composantes militaire et économique, mais aussi écologique et sociale : que deviendrait la sécurité d'un pays économiquement prospère et militairement fort en cas de détérioration aggravée de la couche d'ozone, ou devant l'afflux massif de populations fuyant leur pays d'origine pour échapper à un massacre, à un cataclysme, à la famine ?

La défense des libertés, des intérêts, du mode de vie de chaque citoyen se situe au point d'intersection des grands axes de la politique nationale et des lignes de force d'une nouvelle configuration mondiale en pleine mutation. Comment trouver sa place dans ce tableau mouvant ? Quels en sont les principaux éléments, militaires et civils ? Comment chacun d'eux influe-t-il sur tous les autres ?

De la massue de Cro-Magnon au missile nucléaire

Militaire d'abord. De la massue de Cro-Magnon au missile nucléaire électroniquement programmé, l'homme ne cesse de perfectionner les armes par lesquelles il compte assurer sa sécurité. En 1981, dans le monde entier, environ 500 000 savants et ingénieurs de haut niveau travaillaient dans les laboratoires de recherche scientifique à des fins militaires. Par leur inlassable inventivité, ils multiplient des prouesses qui distancent souvent celles de la production civile. Leurs performances forcent l'admiration... Il est vrai qu'ils disposent d'un marché en constante expansion : mondialement, 1 000 milliards de dollars en 1988 — six fois le budget de l'État français...

Mais pourquoi rêver ? Riche ou pauvre, capitaliste ou communiste, membre d'une alliance (OTAN, pacte de Varsovie) ou neutre (Suisse, Suède), tout pays espère trouver dans ses arsenaux une garantie de sécurité. Sous le gouvernement de Jacques Chirac, la gauche socialiste et la droite réunies ont, comme un seul homme, voté la loi de programmation militaire. Le public ne leur en a pas tenu grief. Rarement contestée, une idée simple, bien ancrée dans les esprits et les mœurs, persuade chaque citoyen de financer cet effort gigantesque. Gigantesque et sans fin. Car soumis à un impératif : il faut toujours aller de l'avant, toujours perfectionner les armes existantes, toujours en inventer de plus sophistiquées.

L'éblouissante imagination des marchands d'armes

Conséquence logique d'une obsession sécuritaire trop étroitement conçue, la course aux armements crée de nouvelles causes d'insécurité en aggravant les déséquilibres économiques et en faisant surgir des foyers de violence que nul n'est jamais sûr de maîtriser. Mieux encore, elle fait entrer dans le champ du possible la destruction sans appel, l'éventuelle annihilation non seulement d'un pays ou d'un continent, mais de l'humanité tout entière. L'utilisation d'une petite partie seulement des missiles disponibles provoquerait l'« hiver nucléaire », la glaciation de la planète, la plus grande catastrophe « écologique » jamais envisagée. Définitive. Et voulue par l'homme. Irraisonnée ou étayée *a posteriori* par de changeantes « doctrines », la quête d'une sécurité absolue peut conduire au désastre absolu.

Bien que les industries d'armements se montrent peu soucieuses de réduire leurs coûts et d'améliorer, si l'on peut dire, le rapport qualité-prix, elles sont obligées, pour rendre leurs activités un peu moins dispendieuses, de vendre une partie de leur production.

Deux marchés s'ouvrent à elles : les armées des autres

17

pays industrialisés, d'où la féroce compétition entre Américains et Européens, mais aussi entre Européens eux-mêmes comme le montre l'affaire des deux avions concurrentiels Rafale et EFA[2] ; les armées du tiers monde. Sur ces deux marchés, les fournisseurs rivalisent de générosité sous forme de pots-de-vin. Dictateurs et gouvernements militaires ne sont pas les seuls sensibles à cette vénalité : le prince Bernard des Pays-Bas en fut contraint à se démettre. Par la corruption, la quête de sécurité sape les valeurs démocratiques que l'on prétend défendre.

La prolifération des armes engendre deux sous-produits qui mettent la planète en danger.

Le premier est militaire. Car si les ventes au tiers monde contribuent, pour une part non négligeable, à l'équilibre de la balance commerciale des pays producteurs, elles entretiennent et prolongent ces « conflits régionaux » qui, depuis 1945, ont fait quelque 17 millions de morts. La démarche sombre dans un dramatique burlesque lorsque par exemple, en 1965, l'Inde et le Pakistan s'affrontent avec les armes qu'ils ont tous deux reçues des États-Unis, ou lorsque le président Reagan fournit des équipements militaires à l'Iran. Absorbés par des affaires autrement sérieuses, vraiment à la mesure de leur prodigieuse puissance de feu, les supergrands ont longtemps considéré ces guerres périphériques avec une indulgence dédaigneuse... Jusqu'au moment où, en 1988, elles sont devenues un atout et un test dans leurs négociations bilatérales.

Le second sous-produit appartient à l'ordre économique. Entre 1977 et 1982, les dépenses militaires des

---

2. Voir « Les armes de l'Europe », *Le Monde diplomatique*, janvier 1988.

pays les moins développés ont atteint un total supérieur à l'ensemble de la dette du tiers monde à la fin de 1982. Si les « marchands de canons » ont tiré profit de ces opérations, les banquiers, qui n'espèrent plus récupérer l'intégralité de leurs prêts au tiers monde, savent, eux, qu'une bonne part de leurs actifs est partie en fumée. Grâce à eux, leurs débiteurs sont mieux armés : ils ne sont plus solvables [3].

En dépit de toute leur arrogance, les grands eux-mêmes n'échappent pas aux contraintes budgétaires. L'éblouissante imagination créatrice des fabricants d'armes est sans limite, mais non pas les capacités financières des États. Lorsque M. Carlucci remplace M. Weinberger à la tête du Pentagone en novembre 1987, il doit donc réviser en baisse son budget. Puis, au grand chagrin de Ronald Reagan, le général James Abrahamson, directeur du programme de « guerre des étoiles », donne sa démission à la fin du mois de septembre 1988. L'ambitieux projet de « bouclier spatial » aura coûté une dizaine de milliards de dollars mais ne verra pas le jour. En effet, durant la campagne électorale, ni M. Bush ni M. Dukakis n'ont osé proposer un alourdissement de la pression fiscale : parler d'impôts, dit-on à Washington, est électoralement suicidaire. Le coût exorbitant de leurs ambitions militaires incite les deux superpuissances à plus de modération, stimule leur volonté de négociation et de détente [4].

---

3. Sur les effets économiques de la course aux armements, et sur les liens entre désarmement et développement économique, voir le *Rapport Thorsson*, Nations unies, document A/36/356, 5 octobre 1981.

4. Cet argument est développé dans « Le prix des armes », p. 79-93.

Est-ce à dire que, tempérant enfin leur obsession de sécurité par les armes, les États chercheraient d'autres moyens, politiques, d'affirmer leur souveraineté ? A l'Est comme à l'Ouest, ils devront alors surmonter une difficulté majeure, trop rarement mentionnée, qui risque de leur interdire l'accès de cette voie plus raisonnable. En s'intensifiant jusqu'à la frénésie, la course aux armements a en effet entraîné une forte militarisation de l'enseignement supérieur et des programmes de haute technologie. « Les attitudes et les valeurs intellectuelles et sociales des individus engagés dans la recherche et le développement militaires constituent l'un des principaux obstacles, et peut-être même le principal », à une reconversion des industries de guerre [5].

Outre les considérables difficultés techniques inhérentes à tout accord de désarmement, les gouvernements les mieux intentionnés doivent aussi compter avec les idées reçues, habilement entretenues dans l'opinion, et avec les groupes d'intérêt qui profitent de la course aux armements. Ramener à leur juste place les peurs que n'apaisent nullement l'accumulation et le perfectionnement des armes, inscrire l'effort militaire dans une stratégie plus réaliste de sécurité globale : cette double tâche ne peut être menée à bien sans l'appui de citoyens mieux avertis de la complexité pluridimensionnelle de leur propre sécurité.

---

5. Antonio DOMINI, rapport ronéotypé présenté au séminaire organisé par l'UNITAR (Institut des Nations unies pour la formation et la recherche) et par l'Association soviétique pour les Nations unies, Moscou, 5-9 septembre 1988. D'autres communications présentées au cours de ce séminaire sont utilisées dans cet article qui, toutefois, ne peut en rien être considéré comme un compte rendu de la rencontre.

Les banques victimes du délire libéral

La sécurité de chaque pays et la paix de la planète sont menacées au moins autant par des périls économiques que par des risques militaires.

La puissance dévastatrice des armes modernes rend très hypothétique une guerre de conquête car elle offrirait au vainqueur — s'il y en a un... — le douteux privilège de s'emparer d'un champ de ruines, pratiquement inexploitable avant longtemps, alors qu'il devrait, chez lui, réparer les dégâts causés par les tirs nucléaires du camp adverse. Quant à la résistance au chantage militaire, elle requiert non pas la parité des forces mais simplement des moyens capables d'infliger à l'adversaire des dommages inacceptables. Plus plausibles que la guerre moderne, deux dangers ont déjà pris forme sous nos yeux :

— par la perte de sa souveraineté économique, un pays subirait la dégradation puis la liquidation progressive de son autonomie politique. Pas de capitulation formelle comme à la suite d'une défaite militaire, mais lente subordination des libertés fondamentales et du niveau de vie à des pouvoirs extérieurs échappant au contrôle des ressortissants du pays économiquement dominé ;

— par dislocation économique et sociale de la planète elle-même, amplification des déséquilibres qui constituent le terrain privilégié des plus folles violences [6]. Si meurtriers qu'ils aient été, les conflits régionaux interétatiques ont fait moins de victimes que le sous-

6. Voir le dossier « Sociétés écartelées, planète disloquée », *Le Monde diplomatique*, mai 1988.

développement économique (famines, malnutrition, épidémies, extrême misère d'où surgissent des conflits internes à caractère interethnique ou révolutionnaire).

Certes, les hallucinants scénarios élaborés dans les états-majors déchaîneraient une apocalypse, mais jusqu'à présent ils restent du domaine des virtualités. Fauchant d'innombrables vies humaines, les effets disruptifs des fractures économiques et sociales appartiennent, eux, au monde réel, quotidien. Des théories de bazar attribuent aux gouvernements, directoires et conseils d'administration, le pouvoir exclusif de déterminer les rapports de forces économiques. Mais seuls le consentement, la résignation ou l'indifférence d'un public plus ou moins bien informé rendent possible la mise en œuvre des politiques préconisées par les « grands décideurs ». Avec les rudes chocs dont elle ne parvient pas à se remettre, la décennie 1980-1990 a été dominée par l'acceptation béate d'une certaine vision économique qui, à la tribune des Nations unies, a été formulée en ces termes :

« Dans les halls de ce bâtiment, on parle beaucoup du droit au développement. Mais il devient de plus en plus évident que le développement n'est pas un droit en lui-même. Il est la résultante de plusieurs droits : le droit de propriété, le droit d'acheter et de vendre librement, le droit de conclure des contrats, le droit d'être libre d'impôts excessifs et de réglementations trop strictes d'un gouvernement fâcheusement pesant. D'après certaines études, les pays qui pratiquent une taxation légère connaissent un taux de croissance supérieur à celui des pays lourdement imposés [...]. Dans des pays comme la Colombie, la Turquie ou l'Indonésie, les gouvernements réduisent les impôts, révisent les réglementations, ouvrent des possibilités à l'initiative privée [...]. Ceux qui invoquent des solutions gouvernementales pour résoudre le problème du développement devraient considérer que le marché libre constitue une autre voie, et que c'est la seule voie juste. Contrairement à beaucoup d'autres, celle-ci conduit au but. Et ça marche ! »

Ainsi s'exprimait le président Reagan devant la quarante-deuxième session de l'Assemblée générale de l'ONU. Combien de pays choisiraient comme modèle la Colombie (où la cocaïne assure la principale ressource d'exportation), la Turquie (trop peu développée pour réaliser son vœu d'adhérer à la CEE) ou l'Indonésie ? Ils envieraient plutôt le sort de la Suède : une ponction fiscale lourde, mais le taux de chômage le plus faible en Europe, des services sociaux très développés, une industrie et une balance commerciale en excellente santé.

Ne faisant confiance qu'à l'entreprise privée, les théories libérales ont causé au monde un tort incalculable. En 1974, le Fonds monétaire international proposa que les centaines de milliards de pétrodollars fussent recyclés par le Fonds. Appuyé par les pays sous-développés mais aussi par le Royaume-Uni, la France et l'Italie, ce point de vue se heurta au veto des États-Unis, qui — bien avant le délire libéral de l'époque reaganienne — obtinrent que ce recyclage fût assuré par les banques commerciales[7]. Celles-ci doivent aujourd'hui se mordre les doigts qu'une telle faveur leur ait été accordée car c'est ainsi qu'elles ont pu prendre des risques majeurs en ouvrant aux pays du tiers

---

7. Sidney BELL, rapport ronéotypé présenté au séminaire de Moscou.

monde des créances dont elles savent maintenant qu'elles sont irrecouvrables.

Si les banques étaient les seules victimes de cette erreur stratégique ! Dès qu'elles découvrirent la situation périlleuse dans laquelle elles s'étaient mises, elles demandèrent au FMI de voler à leur secours. Celui-ci imposa donc aux pays débiteurs une diminution de la consommation par habitant, la suppression des subventions aux produits de première nécessité, l'allégement des services sociaux, un freinage des investissements, l'équilibre de la balance commerciale — ce qui se traduisit par une réduction de leurs importations en provenance du monde industrialisé, où la crise, dès lors, ne pouvait que s'amplifier. Beau résultat...

Et cependant l'endettement n'a cessé de croître : 950 milliards de dollars en 1985 — au moment où le secrétaire américain au Trésor, à juste titre inquiet, lance le fameux « plan Baker », présenté comme l'amorce d'une solution — et 1 300 milliards de dollars en 1989. « Le plan Baker est mort. Faisons donc la seule chose décente : enterrons-le, et cherchons autre chose », dit le sénateur Bradley (New Jersey). Mais, entre un tardif constat de décès et de discrètes funérailles, ce cadavre lui-même continue de faire des ravages : au cours de 1987 et 1988, quinze pays parmi les plus lourdement endettés ont effectué vers leurs créditeurs des transferts nets de 58 milliards de dollars. Mieux encore, en 1988 le FMI lui-même a reçu du tiers monde 5 milliards de plus qu'il n'a déboursé en sa faveur [8].

---

8. Cf. « Forgive Us Our Debts », *Time*, 10 octobre 1988. Voir aussi l'article de Frédéric F. CLAIRMONTE et John CAVANAGH, p. 175-184.

Admirable système, émouvante efficacité de la pompe à capitaux... Vive le libéralisme moderne !

Des riches plus riches, des pauvres plus pauvres

Banques légitimement inquiètes, tiers monde pris à la gorge : les États-Unis, pour autant, s'en portent-ils mieux ? De 1977 à 1988, les 10 % les plus pauvres de la population ont vu leur revenu annuel moyen tomber de 3 673 dollars à 3 286 dollars (− 10,5 %), soit environ 20 000 F — moins de 1 700 F par mois... Dans le même temps, les familles aisées sont passées de 73 348 dollars à 93 464 dollars (+ 27,4 %), soit environ 580 000 F, et la couche supérieure, à peine 5 % de la population totale, a fait encore mieux : de 94 476 dollars à 129 762 dollars (+ 37,3 %), soit environ 817 000 F. Dans cette catégorie, chaque famille a donc ajouté à son revenu l'équivalent de celui de dix familles pauvres. Peut-être ces chiffres prendront-ils un sens plus concret si l'on ajoute qu'un an d'études coûte en moyenne 12 924 dollars (plus de trois fois le revenu annuel d'une famille pauvre) dans un *college* privé, et 5 823 dollars dans un *college* public [9]. Tout est dans

---

9. Cf. « Are You Better Off ? », *Time*, 10 octobre 1988. Le même article fournit bien d'autres précisions ; par exemple, trente-sept millions de jeunes Américains ne sont couverts par aucune assurance sociale. D'autre part, la conversion en francs du revenu familial américain ne permet pas une comparaison exacte puisque, en France, l'enseignement est pratiquement gratuit et que les soins de santé sont, pour l'essentiel, remboursés par la Sécurité sociale. De telles différences ne sont pas seulement économiques ou budgétaires ; elles traduisent deux conceptions différentes de la place de l'homme dans la société, deux approches de la civilisation humaine. Dans le même numéro de *Time*, voir aussi l'article « The Underclass : Breaking the Cycle »,

l'ordre : des riches plus riches, des pauvres plus pauvres. Les premiers votent, les seconds non, et ils ne sont pas les seuls puisque la moitié des citoyens ne prennent pas la peine d'aller aux urnes. Fragile démocratie...

Qu'en serait-il si l'Amérique ne vivait largement au-dessus de ses moyens [10] ? Longtemps récusé, ce constat élémentaire a fini par être admis par de savants esprits. Lorsque, porté par une incomparable popularité, Ronald Reagan entre à la Maison-Blanche en 1981, James Carter lui laisse une situation jugée inacceptable : une dette fédérale de 738 milliards de dollars, un déficit commercial de 25 milliards. Lorsqu'en janvier 1989 George Bush a pris possession de la présidence, il a hérité de son glorieux prédécesseur une dette fédérale de 2 100 milliards et un déficit commercial qui, en 1987, a atteint 161 milliards. Pour renforcer la sécurité nationale, Ronald Reagan a beaucoup augmenté le budget militaire. Mais sa politique économique « a sacrifié une part de la souveraineté américaine », note mélancoliquement Benjamin Friedman [11].

Bien avant que cette évidence ne s'impose aux regards les plus myopes, Felix Rohatyn, de la Banque

---

portrait économique, social et culturel de sept à huit millions d'Américains qui vivent dans les pires conditions. « Dans la guerre contre la pauvreté, semble-t-il, c'est la pauvreté qui a gagné », écrit l'auteur. Voir aussi « America's Third World », *Newsweek*, 8 août 1988.

10. Voir « L'Empire du dollar », *Le Monde diplomatique*, février 1985. Apôtre du libéralisme économique, appuyé sur d'inébranlables convictions, Guy SORMAN, auteur de *La Révolution conservatrice*, déclare au *Nouvel Observateur* (14-20 octobre 1988) : « Le reaganisme a été globalement positif... »

11. Benjamin M. FRIEDMAN, « The Campaign's Hidden Issue », *The New York Review of Books*, 13 octobre 1988. Cet article analyse aussi l'énorme endettement des entreprises. Il propose un ensemble de mesures pour redresser la situation.

Lazard à New York, lançait le même cri d'alarme [12]. Il n'a pas été écouté. Mais il ne se décourage pas. Le voici donc qui revient à la charge. Le système financier américain, ose-t-il écrire, est un « château de cartes [13] ». Au grand dam des dévots du libéralisme, il rappelle que ce n'est pas le dieu marché qui a pansé les plaies ouvertes par le « hoquet » boursier d'octobre 1987, mais la Réserve fédérale et les gouvernements japonais et européens en injectant de l'argent dans les circuits financiers déboussolés. Passant en revue les absurdités qui favorisent les pires spéculations, préconisant des réformes urgentes pour éviter la catastrophe, il ajoute :

« Il n'est pas nécessaire d'être un prophète de malheur et de ruine *(a prophet of doom and gloom)* pour esquisser le scénario d'un déclin [...], d'un nouveau plongeon des marchés boursiers [...], d'une crise bancaire. »

Felix Rohatyn n'est pas seul à s'inquiéter [14]. Pour payer les intérêts de sa dette (externe et interne), le gouvernement fédéral a déboursé 52 milliards de dollars en 1980, et 151 milliards en 1988. Soit, sur chaque dollar collecté par l'impôt sur le revenu, 21 centimes en 1980 et 37 centimes en 1988 [15]. Et Washington manque d'argent pour l'enseignement, la formation professionnelle, la santé publique...

---

12. Cf. F. ROHATYN, *The New York Review of Books*, 3 décembre 1987 et 18 février 1988.

13. Félix ROHATYN, « A Financial House of Cards », *Time*, 17 octobre 1988.

14. Voir en particulier Françoise CROUIGNEAU, « La dette extérieure des États-Unis : une bombe à retardement », *Le Monde*, 13 octobre 1988.

15. Cf. David S. BRODER, « Campaign : The Winner So Far Seems To Be Cynicism », *International Herald Tribune*, 30 septembre 1988.

Mois après mois, un pilotage à vue

Depuis la réforme fiscale de Ronald Reagan, « la dette fédérale a presque triplé, alors que le revenu national n'augmentait que de moitié [16] ». Les États-Unis doivent donc attirer des capitaux extérieurs et, pour les séduire, Washington augmente les taux d'intérêt à court terme qui, du mois de mai au mois d'août 1988, sont passés de 6,7 % à 7,5 %. Pour tenter de résister, les pays européens s'engagent dans la surenchère [17] : ils rendent le crédit plus cher et, naturellement, les entreprises hésitent à investir — à créer des emplois. Absorbé par de lassantes démarches pour percevoir ses indemnités, pointer à l'ANPE, répondre aux petites annonces, expédier son *curriculum vitae*, tirer les cordons de sonnette, le chômeur ne songe même pas à analyser d'arides études qui lui feraient entrevoir de quel jeu international, de quelle incompétence, de quelle avidité il est victime.

Les entreprises qui « dégraissent » leurs effectifs, le gouvernement qui négocie avec les infirmières, n'osent pas avouer qu'ils pilotent à vue, improvisent de mois en mois. Que peuvent-ils faire d'autre alors que, depuis des années (1971 : non-convertibilité du dollar ; 1976 : accord de la Jamaïque, etc.), ils tolèrent l'anarchie monétaire ? Comment diable pourraient-ils élaborer une stratégie cohérente et réaliste dans un environnement

---

16. Benjamin Friedman, article cité, cf. note 11.
17. Cf. « Weather Worries », *Time*, 12 septembre 1988. Au cours des quatre mêmes mois, les taux d'intérêt ont grimpé de 7,7 % à 12,2 % en Grande-Bretagne, de 7,6 % à 8,1 % en France, et de 3,5 % à 5,3 % en Allemagne fédérale. En décembre 1988, les pays européens ont procédé à un nouveau relèvement concerté des taux d'intérêt.

aussi incertain, dangereusement labile, dépourvu de points d'appui fixes ?

« Le rêve réalisable d'un environnement non pollué »

En amplifiant les désordres mondiaux qu'elle prétendait éliminer, la reaganomie a été le fossoyeur d'une part importante, peut-être décisive, de la souveraineté économique des États-Unis. Un budget militaire en expansion et les rêveries technologiques de la « guerre des étoiles »[18] ne pouvaient la restaurer. Guettant jour et nuit l'arrivée des barbares qui convoitent ses richesses, tout empire refuse de savoir qu'il se défait d'abord de l'intérieur, par lui-même[19]. En général, il entraîne avec lui dans le même tourbillon ses alliés les plus fidèles, ses plus proches féaux. A eux de comprendre que leur souveraineté ne se fonde qu'en partie sur la force des armes et qu'elle dépend aussi de leur solidité économique. Alliés militaires des États-Unis, mais rivalisant avec eux dans l'industrie et le commerce, l'Allemagne fédérale et le Japon ne s'y trompent pas.

Or voilà que, découlant d'un mode de développement illustré pendant trois décennies par une fulgurante croissance et par une enviable prospérité, deux autres menaces se manifestent. Nouvelles venues sur la scène

---

18. Voir l'article de Philip ANDERSON, prix Nobel de physique, p. 111-124.

19. « L'Amérique ne sait pas encore que le rêve américain est mort. Il ne pourrait revivre que par l'abandon de l'empire. Et, abandonner l'empire, ce n'est pas renoncer à une abstraite volonté de jouissance. C'est renoncer [à tout ce] que l'Amérique exploite un peu partout dans le monde afin de faire du mode de vie américain un exemple inimitable. Abandonner l'empire, ce serait priver l'Amérique de sa condition de consommateur privilégié. » Claude JULIEN, *L'Empire américain*, Grasset, Paris, 1968, p. 388.

internationale, l'une concerne la nature, atteinte dans ses conditions de survie ; l'autre concerne l'homme, de vastes communautés ballottées au gré des conflits armés, des famines, des séismes politiques, des antagonismes raciaux ou sociaux.

Lorsqu'au début d'octobre 1988 Brian Mulroney, Premier ministre du Canada, annonce la dissolution du Parlement, il ne le fait pas de gaieté de cœur. Il y est contraint par un courant d'opinion hostile à l'accord de libre-échange qu'il a négocié avec Washington et dans lequel l'opposition voit un instrument voué à faire du Canada « une colonie des États-Unis [20] ». Au contraire, dit M. Mulroney, cet accord nous permettra d'accomplir « le rêve réalisable d'une économie en expansion et d'un environnement non pollué [21] » un rêve finalement partagé par les électeurs qui, le 21 novembre 1988, avec 43 % des suffrages, lui ont donné une majorité parlementaire.

Ainsi s'affichent les liens qui unissent diplomatie, économie, écologie, politique intérieure. Les relations entre les deux voisins sont à la fois cordiales et inconfortables. Leurs échanges commerciaux atteignent 165 milliards de dollars par an. En toute liberté, les États-Unis établissent chez eux, où bon leur semble, leurs industries polluantes. Mais ils ne possèdent aucune autorité sur les vents dominants, les émanations toxiques et les pluies acides ne respectent aucune frontière. Les Canadiens voient dépérir leurs forêts. Certains craignent en outre que leur système de protection sociale,

---

20. *International Herald Tribune*, 3 octobre 1988. La date des élections est fixée au 21 novembre.

21. *Time*, 10 octobre 1988.

très avancé, ne soit érodé par l'accord de libre-échange avec les États-Unis.

Classique conflit de souveraineté, dont tous les continents fournissent maints exemples. Dans le Nord industrialisé, tout pays — capitaliste ou communiste — prend des décisions qui relèvent de sa seule autorité mais infligent à ses voisins d'inacceptables nuisances : forêts, fleuves, effet de Tchernobyl, etc. Le sous-développement du Sud n'est pas moins destructeur de l'environnement : déforestation par les populations locales en quête de bois de chauffage et par les sociétés occidentales qui exploitent les scieries, installation d'industries polluantes dont le Nord ne veut pas chez lui, dépôt de déchets toxiques moyennant des redevances que des gouvernements pauvres et imprévoyants considèrent comme une aubaine inespérée [22].

Au même titre que les missiles intercontinentaux, les flux de capitaux ou les communications par satellite, la destruction de l'environnement est devenue un phénomène transfrontières de première grandeur. Le droit reste le signe distinctif d'une civilisation, mais, dans chacun de ces domaines, ce monde « civilisé » souffre d'une grave pénurie de droit : droit de la guerre largué par les armes modernes, code de bonne conduite envisagé pour les firmes multinationales mais qui n'a pas vu le jour, droit écologique encore dans les limbes.

---

22. Voir le dossier « Une planète mise à sac », *Le Monde diplomatique*, octobre 1988.

Migrations massives, famines et guerres

C'est ainsi que la Méditerranée se présente moins comme un « lac de paix » que comme la poubelle des pays riverains. La pollution des océans lamine les modestes ressources que les pêcheries assuraient à des pays beaucoup trop pauvres pour avoir les moyens d'empoisonner leurs rivages. Qu'il s'agisse de la détérioration de la couche d'ozone ou de l'accumulation de dioxyde de carbone, « les problèmes écologiques sont devenus un aspect important des relations internationales modernes [23] ». Ils compromettent les chances de survie de toute nation économiquement et militairement souveraine.

La nature est fragile : de grandes famines nées d'un environnement stérile jettent, par vagues successives, des millions de personnes vers des pays voisins qui souvent ont le plus grand mal à nourrir leur propre population. Pour déclencher ces vastes migrations, à la faim s'ajoutent la violence répressive et la guerre, ou la simple et insupportable pauvreté : *boat people* fuyant le Vietnam et le Cambodge, paysans salvadoriens et guatémaltèques cherchant au Mexique un havre de sécurité, Mexicains eux-mêmes franchissant illégalement le rio Grande pour trouver un emploi aux États-Unis, caravanes faméliques aux confins de l'Éthiopie et du Soudan... Comme la production industrielle ou le tourisme d'agrément, le phénomène des migrations mas-

---

23. *Ecological Security and Sustainable Development*, rapport ronéotypé présenté par S.A. Evteev, R.A. Perelet et V.P. Voronin au séminaire de Moscou. Voir aussi *Notre avenir à tous* (Rapport Brundtland), commission sur l'environnement et le développement, Édition du Fleuve et Les Publications du Québec, Montréal, 1988.

sives s'est, lui aussi, mondialisé. Aucun « cordon sanitaire » ne pourra endiguer ces flots de réfugiés « politiques » ou « économiques ».

La distinction entre ces deux catégories de déracinés suppose d'ailleurs que l'économie, se développant de manière autonome, échapperait au politique. Ce serait oublier — attitude intellectuellement confortable — que les drames les plus cruels ont à la fois des causes nationales et des causes transfrontières.

Substituer l'éthique aux critères comptables

Coups d'État télécommandés de l'étranger (contre Sihanouk au Cambodge en 1970, contre Allende au Chili en 1973, en Afghanistan en 1979...), conflits internes ou internationaux entretenus par les ventes d'armes (Liban, Irak-Iran, Tchad, Amérique centrale...), dilapidation des ressources nationales par la sainte alliance entre le corrompu autochtone et le corrupteur étranger (ou vice versa...), appauvrissement magistralement organisé par le flux de capitaux du Sud vers le Nord : qu'ils soient « politiques » ou « économiques », les migrants ne se demandent pas s'ils risquent de déstabiliser le pays d'accueil : ils se savent si peu responsables de la déstabilisation de leur propre pays...

Pour le meilleur et pour le pire, la mondialisation, qui avance sur tous les fronts, a hissé l'écologie et les migrations à un niveau de dignité qui leur vaut l'attention des diplomates...

Si l'on en juge par la médiocrité des campagnes électorales — d'abord en France, puis aux États-Unis —, il semble admis que les citoyens sont malheureusement inaptes à voir clair dans la nouvelle configuration mondiale.

Après le premier débat télévisé entre les candidats démocrate et républicain, les Américains estimaient que M. Dukakis était plus convaincant, qu'il maîtrisait mieux les dossiers, qu'il avait davantage de choses à dire sur les problèmes abordés, que ses arguments étaient meilleurs — mais qu'ils voteraient pour M. Bush parce qu'ils le trouvaient plus « présidentiel » et plus « sympathique » [24]... Il convient donc, soit de renoncer à toute raison, soit de supprimer la télévision ou la démocratie ainsi pratiquée...

En dépit de sa complexité, la crise protéiforme du monde contemporain n'est pourtant pas sans solution. L'analyse de ses désordres et de ses déséquilibres, qui n'avaient rien d'inévitable, suggère, par leur origine même, les voies qu'il convient d'explorer dans la recherche d'une harmonie plus satisfaisante qui, sans éliminer tensions et contradictions, leur donnerait un sens constructif. Aussi éloignée de la nostalgie d'un passé idéalisé que de la résignation devant des troubles incompris, « la gestion du mouvement, et donc du désordre [...], est une conquête, une création constante que des valeurs jeunes, une éthique nouvelle et largement partagée, orientent », écrit Georges Balandier [25].

Une « éthique », un ensemble de valeurs, la définition de finalités se substituant aux critères essentiellement comptables qui, pourtant très fragiles, dominent

---

24. *Time*, 10 octobre 1988. Voir aussi Serge HALIMI, « Dans les bas-fonds de la campagne électorale », *Le Monde diplomatique*, décembre 1988.

25. Voir Georges BALANDIER, *Le Désordre, éloge du mouvement*, Fayard, Paris, 1988.

la pensée et les comportements actuels : économisme déshumanisant qui entretient d'éphémères illusions, priorité suicidaire accordée au court terme et aux rapports de forces les plus élémentaires, raisonnement en termes de PNB et de cash-flow et non en termes de civilisation. Dans l'effort soutenu pour guérir une planète disloquée, comparable à un pantin démantibulé, quelques lignes de force se dégagent des déboires mondiaux.

Des marchés à terme hautement spéculatifs

Sur le plan militaire, dévoreurs d'énormes ressources, les super-grands eux-mêmes semblent convenir que la course aux armements les épuise sans profit réel. Ils tentent de passer de la vaine recherche d'une aléatoire supériorité à la définition d'une « défense suffisante » qui atténuerait les tensions. Ils souhaitent que la réduction des dépenses de guerre dégage des moyens qu'ils pourraient affecter au développement économique, à la satisfaction des besoins sociaux et culturels, à la préservation de l'environnement naturel par l'utilisation de technologies non polluantes. La conférence de Paris sur les armes chimiques a eu un impact médiatique, surtout après l'utilisation de gaz par l'Irak ; mais chaque État concerné sait que l'allégement du fardeau militaire passe par la négociation sur les armes conventionnelles, par la diminution et le non-perfectionnement des armes stratégiques, donc par l'arrêt des essais nucléaires.

Sur le plan économique, les politiques suivies jusqu'à présent nuisent à la croissance car elles sont élaborées à partir d'indicateurs qui ne rendent pas compte de toute la réalité puisqu'elles négligent ou sacrifient le principal agent de progrès : l'homme — son éducation, sa culture, sa compétence, sa santé, son aptitude à aimer son travail. A cet égard, l'UNICEF a avancé d'utiles propositions pour refondre les indices qui entrent dans le calcul du PNB. Ces suggestions ont été publiquement approuvées par le FMI et la Banque mondiale... qui n'en tiennent pourtant aucun compte dans leur pratique[26].

Se fondant sur des statuts qui leur assignent des fonctions techniques, le Fonds et la Banque occupent une place à part dans le système des Nations unies, obéissent à d'autres règles, ne paraissent pas consacrer beaucoup d'efforts au service de l'objectif essentiel fixé par la Charte de San Francisco : le « maintien de la paix ». Pour difficile qu'elle soit, la nécessaire réforme des Nations unies n'en est pas moins en gestation[27].

Dans chaque pays comme sur l'ensemble de la planète, les zones de pauvreté iront s'élargissant, freineront la croissance économique et multiplieront les risques de conflit aussi longtemps que prévaudra l'actuel non-système monétaire. Lors de la conférence annuelle du FMI et de la Banque mondiale, en 1987, James Baker, secrétaire américain au Trésor, stupéfia son auditoire[28] en se disant prêt à faire entrer « un panier de matières premières, y compris l'or », dans la défi-

---

26. Cf. A.C. Cornia, R. Jolly et F. Stewart, *Adjustment with a Human Face : Protecting the Poor and Promoting Growth*, Oxford University Press, 1987. Ces thèses sont exposées dans l'article de Robert Jolly et Denis Caillaux, *Le Monde diplomatique*, janvier 1987.

27. Elle a fait l'objet de propositions concrètes lors du séminaire organisé à Moscou début septembre 1988.

28. Le 30 septembre 1987, à Tokyo.

nition d'une monnaie de référence, et donc de la valeur comparée des devises. Il rejoignait ainsi la proposition avancée en 1964 par trois économistes de réputation mondiale, MM. Kaldor, Hart et Tinbergen. Ces thèses avaient eu un précurseur, hélas bien oublié, en la personne de Pierre Mendès France [29]. La crainte d'innover les a laissées dans les tiroirs. La relance économique passe pourtant par un tel système, seul apte à reconstituer le pouvoir d'achat du tiers monde, grand fournisseur de matières premières dont le Nord, en dépit des matériaux composites, reste grand consommateur.

Reprenant une idée de Keynes, Nicholas Kaldor proposait en 1983 la constitution de stocks de produits de base pour amortir *(buffer stocks)* les aberrantes fluctuations de leurs cours [30]. Les accords de Lomé poursuivent un objectif analogue en garantissant les ressources d'exportation d'une quarantaine de pays. Les cours des métaux non ferreux et des produits tropicaux sont actuellement déterminés sur des marchés à terme, hautement spéculatifs. Seules l'abolition ou la réforme radicale de ce système contre-productif peuvent conduire les matières premières à des prix plus réalistes et, ainsi, rétablir le tiers monde dans sa position de partenaire-client des pays industrialisés et stimuler la demande globale.

Un responsable soviétique estime que la chute des cours des produits de base depuis trois ans a diminué de 20 milliards de dollars les ressources de l'URSS [31],

---

29. Dont le texte intégral avait été publié par *Le Monde diplomatique*, octobre et novembre 1966.

30. Nicholas KALDOR, « The Role of Commodity Prices in Economic Recovery », *Lloyds Bank Review*, juillet 1983.

31. I. D. IVANOV, communication au séminaire de Moscou.

limitant ainsi ses achats à l'Ouest. Moscou a annoncé son intention d'adhérer au FMI, à la Banque mondiale, à l'Accord général sur le commerce et les douanes (GATT), et c'est là sans doute l'une des conditions de succès des réformes entreprises par Mikhaïl Gorbatchev [32]. Une telle participation favoriserait une approche plus réaliste de l'estimation des cours des matières premières, et, ainsi, les exportations de l'Occident vers les marchés de l'Est comme vers le tiers monde.

Le GATT, qui a obtenu d'importants résultats dans la libération des échanges, devra bien un jour accorder une plus grande attention aux conditions économiques et sociales (horaires, salaires, etc.) dans lesquelles sont produites les marchandises échangées. L'action du Bureau international du travail (BIT) à Genève tend précisément à faire respecter par tous les pays des normes communes dans le traitement de la main-d'œuvre. Pour un meilleur équilibre mondial, une harmonisation progressive des conditions de travail est au moins aussi importante que la libéralisation du commerce. Elle améliorerait le sort des salariés dans le tiers monde et contribuerait aussi à alléger la concurrence que les pays à très bas salaires font peser sur les industries du monde développé.

L'autre moitié de l'Europe

Parce qu'elles ont implanté des centres de production dans des pays à main-d'œuvre bon marché, les firmes multinationales ne veulent évidemment pas entendre

---

32. Voir p. 79-93.

parler d'un tel bouleversement. Elles ont raison... Leurs intérêts ne s'identifient plus à ceux du pays d'origine. Par la délocalisation de leurs usines, ces firmes, américaines par exemple, sont prospères, alors que Washington s'endette à vive allure.

Pour faire face à leur endettement, la plupart des pays du tiers monde ont hypothéqué leurs ressources naturelles, notamment leurs forêts vouées à la destruction [33]. En s'endettant à outrance, les États-Unis, de leur côté, hypothèquent leur propre avenir [34]. Et l'Europe ? Elle ne peut de sang-froid souscrire aux conceptions dominantes dont elle tente de se protéger par le système monétaire européen. Osera-t-elle aller plus loin ? Ou bien le « grand marché unique » de 1993 ne sera-t-il qu'un reflet, modèle réduit, de l'anarchie planétaire ? La CEE ne saurait oublier qu'elle ne représente qu'une moitié de l'Europe, que sa sécurité militaire et économique est inséparable de la sécurité de l'autre moitié. De même pour la protection de l'environnement. Le récent établissement de relations entre la CEE et le COMECON esquisse timidement une orientation prometteuse. Que des gouvernements timorés hésitent à s'engager dans cette voie, et ils rendraient inéluctable « la naissance en Europe centrale d'un bloc de pays à systèmes différents sous l'hégémonie alle-

---

33. Ainsi le Brésil pour la forêt amazonienne, en ce moment ravagée par de gigantesques incendies volontaires, moyen sauvage de défrichage qui détruit l'écosystème. De son côté, la banque new yorkaise Citicorp a troqué une créance de 66 millions de dollars sur le Chili contre un projet forestier de 56 millions seulement...

34. Plaisanterie courante aux États-Unis sous la présidence de Ronald Reagan : le Père Noël dit aux enfants de choisir ce qui leur plaît, les parents paieront ; M. Reagan dit aux parents de choisir ce qui leur plaît, leurs enfants et petits-enfants paieront.

mande, hégémonie pour le moment économique ». Un tel noyau serait vite intolérable pour la France et ses voisins méditerranéens. Par sa géographie et, surtout, par sa culture, l'Europe est un tout. Or « les niveaux de vie en Europe de l'Est et en Occident se sont [...] éloignés l'un de l'autre, et cela à un degré tel que nous sommes menacés de nous séparer dans la façon même de penser ». Ainsi s'exprime Janusz Stefanowicz, ambassadeur de Pologne à Paris[35].

Un théâtre d'ombres médiatique

Dans ce monde de plus en plus interdépendant, l'Europe occidentale ne peut que s'acharner à obtenir le maximum d'autonomie relative pour ne pas être condamnée à contempler passivement et à subir, impuissante, les déchirures et les explosions d'une planète en désarroi. Attendant d'elle un geste, deux partenaires s'offrent à elle : l'Europe de l'Est, que quarante ans de communisme n'ont pas découragée de penser européen ; le tiers monde, étranglé par un économisme étroit qui porte en lui violences, guerres et ruines, un économisme qui vassaliserait les nations industrialisées assez aveugles pour lui sacrifier leurs valeurs de civilisation.

Perspectives à la fois trop lointaines et abstraites pour des populations absorbées par leurs difficultés de vie, pour des salariés préoccupés de leur pouvoir d'achat ? Cela signifierait que l'homme moderne aurait renoncé à tirer profit de l'analyse et de la réflexion.

---

35. Dans un article du quotidien populaire polonais *Zycie Warszawy*, bulletin d'information n° 37, service de presse, ambassade de Pologne à Paris.

Mais il est vrai que l'analyse et la réflexion n'ont pas leur place dans le théâtre d'ombres médiatique, parfaitement au point pour convaincre des êtres décervelés de succomber aux mirages d'un libéralisme économique qui place l'argent au-dessus de toutes les raisons que l'homme peut avoir de vivre.

2

Une nouvelle frontière, l'écologie

Par René Dumont

« Nous empruntons un capital écologique aux générations à venir en sachant pertinemment que nous ne pourrons jamais le leur rembourser. Ils auront beau nous maudire d'avoir été si dépensiers, ils ne pourront jamais récupérer ce que nous leur devons. Nous agissons de la sorte parce que nous n'avons pas de comptes à rendre : les générations futures ne votent pas, elles n'ont aucun pouvoir politique ou financier, elles ne peuvent s'élever contre nos décisions. »

(Notre avenir à tous, 1988.)

En 1970, les Nations unies, déjà inquiètes de la pollution croissante, du gaspillage des ressources rares non renouvelables, de l'explosion démographique et de l'avancée des déserts, avaient commandé une étude qui fut coordonnée par les très regrettés Barbara Ward et René Dubos. Ce premier avertissement avait abouti à la création du Programme des Nations unies pour l'environnement, qui siège à Nairobi. En 1983, l'Assemblée générale des Nations unies confia à Mme Gro

Harlem Brundtland (Premier ministre travailliste de Norvège) et à M. Mansour Khalid, du Soudan, la direction d'une seconde étude qui allait être menée par la Commission mondiale sur l'environnement et le développement. Formée de dix-neuf autres commissaires (six venant des pays occidentaux riches, trois des pays de l'Est et douze des pays dits « en voie de développement », dont la Chine), cette commission a, pendant trois années, sollicité les avis de milliers d'instituts, d'organisations et de particuliers représentant la majorité de la communauté scientifique mondiale, des économistes, des juristes et même des « politiques », mais tous indépendants de leurs gouvernements. Elle a présenté, en vue de les faire discuter, ses premières conclusions dans de nombreuses audiences publiques *(public hearings)* réalisées en Indonésie, au Zimbabwe, au Kenya, au Brésil, en URSS, en Allemagne fédérale, au Japon, en Norvège et au Canada.

Réchauffement de la planète

Le plus extraordinaire est que ces milliers de chercheurs et de politiques sont arrivés à un accord sur une conclusion dramatique, en sachant bien qu'ils mettent ainsi en cause toute notre civilisation, jusqu'ici fondée sur le mythe d'une croissance économique ne tenant aucun compte de l'environnement, base de sa continuité. Le rapport de cette commission, publié en anglais en avril 1987 sous le titre *Our Common Future* [1], a eu

---

1. *Our Common Future*, World Commission on Environment and Development, Oxford University Press, 1987.

un grand retentissement en Amérique du Nord, mais est resté à peu près ignoré en Europe continentale et notamment en France. Ce sont des éditeurs québécois qui ont enfin décidé de le publier en français sous le titre *Notre avenir à tous* [2]. La France, qui avait été trop peu impliquée dans cette commission — on se demande pourquoi —, se serait honorée en faisant paraître cette traduction... Une fois de plus, elle a manqué le coche...

La situation est bien autrement dramatique qu'en 1970. Aux menaces déjà reconnues de pollutions multiples, de pluies acides et d'épuisement des ressources rares non renouvelables, s'ajoutent deux altérations mondiales qui mettent en jeu, dans un délai limité, l'existence même de l'humanité. L'ozone de haute altitude nous protège des rayons ultraviolets capables, si on les laisse tous passer, de provoquer des cancers généralisés et même de menacer toute forme de vie. Or voici que cette couche protectrice diminue dangereusement. A Montréal, en septembre 1987, on s'est mis d'accord pour réduire la production des gaz qui la menacent, comme le chlorofluorocarbone de nos aérosols. On parle donc de réduire, alors qu'il faudrait vite supprimer ces dangers, même si des intérêts économiques sont en cause, car nos vies, elles, sont en jeu.

Par ailleurs, la teneur en gaz carbonique CO_2 de l'atmosphère n'avait guère varié jusqu'à la révolution industrielle. Avec le déboisement généralisé et, surtout, un usage sans cesse accéléré des combustibles fossiles

---

2. *Notre avenir à tous*, Commission mondiale sur l'environnement et le développement, éditions du Fleuve et Les Publications du Québec, Montréal, 1988.

(charbon, lignite et, plus encore, dérivés du pétrole), on a constaté une élévation de plus en plus rapide de cette teneur. Or ce CO_2 accru, allié à d'autres gaz, comme le méthane, provoque un effet de serre : les rayons du soleil le traversent, mais pas les rayons réfléchis par la terre. Le résultat est un réchauffement global de l'atmosphère, qui a déjà commencé aux environs de 1970. Sur les six années les plus chaudes (en moyenne mondiale) observées depuis qu'on mesure les températures, quatre se situent entre 1980 et 1987. La sécheresse se généralise, de l'ensemble de l'Afrique à l'Inde et à l'ouest des États-Unis et du Canada. La disparition des forêts éthiopiennes compromet la vie de l'Égypte en réduisant le débit du Nil[3]. Et tous les fleuves du monde, du Niger au Mississippi, du Gange au fleuve Jaune, voient leur débit diminuer dangereusement...

L'explosion du gaspillage

Si les tendances actuelles se prolongent, si nous n'arrivons pas à réduire rapidement nos gaspillages d'énergie, nous savons maintenant en toute certitude que la température sans cesse accrue va perturber tous nos climats, donc toute l'agriculture ; tandis que les pluies acides menaceront de plus en plus nos écosystèmes aquatiques et forestiers. Le réchauffement consécutif des masses d'eau de mer va les gonfler ; en y ajoutant la fonte des glaces polaires, cela élèvera le niveau des océans, menaçant toutes les installations portuai-

---

3. Voir Habib AYEB, « Quand baissent les eaux du Nil », *Le Monde diplomatique*, août 1988.

res du monde, toutes les basses vallées et toutes les zones côtières, où vit le tiers de la population mondiale.

Le trop rapide recul des forêts tropicales (11 millions d'hectares en moins par an) va faire disparaître des centaines de milliers d'espèces végétales et animales dont on pourrait tirer grand parti, tout en accentuant les sécheresses et les inondations. De son côté, l'explosion démographique, généralisée dans le tiers monde, plus accentuée en Afrique, accélère ce recul des forêts, tout comme elle contribue à détruire des pâturages et à dégrader des sols : on compte déjà 6 millions d'hectares de déserts en plus chaque année dans le monde ; et le rythme risque fort de s'accélérer.

Si les géologues estiment que la « civilisation des dinosaures » a dominé notre planète pendant cent soixante-dix millions d'années, il devient de plus en plus improbable que la civilisation d'*Homo sapiens* puisse se prolonger au-delà de quelques siècles, sinon de quelques millénaires. La seule chance d'une survie plus prolongée exige impérieusement le rejet intégral de notre civilisation de gaspillage ; donc du libéralisme économique, sur lequel elle se fonde et par lequel elle se justifie.

Le coût d'extraction d'un baril de pétrole en Arabie saoudite, après 1920, était des plus modestes, parfois de quelques cents. Et ce fut une base primordiale de la fixation du prix du carburant, la définition de son « prix de revient ». Ce qui a incité à un invraisemblable gaspillage d'une ressource fossile non renouvelable et finalement aussi rare que le diamant, si on se place à l'échelle mondiale et à l'échelle historique de nos besoins, et de ceux de tous nos descendants. Les pays riches ont accaparé ce pactole, et le système économi-

que qu'ils ont réussi à imposer sur notre « petite planète » leur permet de le gaspiller sans vergogne.

Ce gaspillage n'est possible, nous le rappelions dès
1973 [4], que parce que les pays pauvres n'ont pas les
« moyens » d'en utiliser autant, en proportion de leur
population : ils ne peuvent même pas en disposer pour
couvrir leurs besoins les plus élémentaires. Comme il
n'est pas généralisable à l'échelle mondiale, notre *Ame-*
rican way of life est donc profondément immoral. Et
pour ceux qui refusent d'inclure la morale dans l'économie, disons qu'ils nous conduisent à la mort.

Certes, les automobiles ne dépensent, en carburants,
que 20 % de l'énergie consommée dans les pays industrialisés. Mais les préfaciers canadiens de l'édition française de *Notre avenir à tous* soulignent à juste titre que
ce calcul ne tient compte que des carburants versés dans
les réservoirs des véhicules. Si l'on y ajoute l'énergie
consommée dans la fabrication et l'entretien des véhicules (minerais, fonderies, assemblage et distribution
des pièces, etc.) ; si l'on tient compte, aussi, de l'énergie dépensée pour créer et entretenir tout le réseau des
transports automobiles et, également, du fait que
l'automobile a encouragé la dispersion urbaine de faible intensité, etc., alors on peut estimer que l'automobile, et surtout la voiture particulière, est responsable
de la moitié de la consommation énergétique d'Amérique du Nord et des pays riches d'Europe. Luc Gagnon
et Harvey Mead, préfaciers de l'édition française,
concluent donc : « Dans les pays occidentaux, il n'existe
pas de scénario de basse consommation d'énergie sans
réduction de l'utilisation de l'automobile privée. » Je

---

4. René DUMONT, *L'Utopie ou la mort*, éditions du Seuil, Paris, 1973.

préciserais, pour ma part, réduction massive et rapide comme condition de notre survie. Il faudrait d'abord que nos politiques nous disent quelle priorité ils accordent à cette survie à long terme, que nous n'avons pas réussi, depuis 1974, à introduire dans les préoccupations électorales.

Bien d'autres gaspillages caractérisent notre civilisation, comme nos multiples produits d'utilité douteuse et de nocivité certaine, nos gadgets, nos suremballages, nos gazons à coupe motorisée, etc. Tout cela aboutit à des montagnes d'ordures, plus ou moins toxiques, qu'il va nous falloir vite trier et recycler, à défaut de pouvoir les déverser, comme certains ont récemment essayé de le faire, dans les pays les plus pauvres qui ont espéré desserrer ainsi le carcan de leurs dettes [5].

Les tenants du libéralisme prétendent généralement, aujourd'hui encore, et contre toute évidence, ignorer tout ce qui concerne l'environnement et les menaces que comporte sa dégradation. En 1700, le pays le plus prospère de la planète n'était que deux fois plus riche que le pays le plus pauvre. L'économie libérale a, depuis, permis et favorisé la croissance monstrueuse des inégalités. C'est par le « pillage du tiers monde » que nous avons pu accroître à un niveau désormais intolérable tous nos gaspillages : et voici qu'ils menacent l'humanité tout entière. Compter sur l'« infaillibilité » des mécanismes économiques du marché ou sur la générosité et les bons sentiments des riches et des puissants pour résoudre ces graves problèmes, voilà bien ce qui a conduit là où nous sommes : « Au bord de l'Apocalypse », comme le titrait *Le Devoir* de Montréal en

---

5. Voir plus loin Anne MAESSCHALK et Gérard DE SELYS, p. 192.

rendant compte de la réunion de Toronto de la fin juin 1988. Pas celle des chefs d'État, mais celle, bien plus importante pour l'avenir de la planète, qui, une semaine plus tard, discutait de ce rapport Brundtland et des menaces climatiques mondiales.

Réduire la consommation des combustibles fossiles est donc devenu un impératif de survie. Le meilleur moyen d'y arriver est d'en augmenter, progressivement certes, mais rapidement et très fortement, le prix. Ce qui, combiné à des vignettes aux tarifs vite prohibitifs, obligera à renoncer aux voitures d'orgueil, puissantes et mortelles ; puis, finalement, à toutes les voitures particulières. Les courses d'autos, les rallyes du type Paris-Dakar devront bientôt être interdits. Ce qui nous amènera à développer tous les transports en commun de la convivialité, puis à repenser notre urbanisme ; et finalement toute notre civilisation. Cette élévation des prix rendra « rentables » toutes les mesures d'économie d'énergie, comme des maisons mieux isolées, et toutes les énergies renouvelables, comme l'énergie solaire (la plus abondante), celle du vent, des petites chutes d'eau, des marées, etc.

Quand les nouveaux prophètes du libéralisme, comme Guy Sorman, ignorent tout de l'environnement mais prétendent résoudre tous les problèmes économiques par le « moins d'État », et même proclament très haut, sans essayer de le prouver, la « défaite de Malthus », ils sont désormais ridiculisés par ce rapport sur l'environnement et le développement — approuvé, rappelons-le, par l'ensemble de la communauté scientifique mondiale. De ce fait, les voici disqualifiés en tant qu'enseignants.

D'autres disqualifications s'imposent, comme ceux

des « écologistes » qui disent croire à l'astrologie ou diffusent des thèses antiscientifiques sur l'influence des astres et la prétendue « science de l'invisible », celle des disciples de Steiner. N'oublions pas, enfin, que la dégradation de l'environnement est au moins aussi marquée dans les pays de l'Est, des démocraties populaires de l'Union soviétique à la Chine. Le prétendu socialisme (en réalité étatisme dogmatique) qui y règne n'a pas apporté, jusqu'ici du moins, des solutions valables.

Avec l'explosion du gaspillage, dit « productiviste », des pays développés, la seconde menace sur l'avenir de l'humanité est l'explosion démographique du tiers monde. Rostow leur disait en 1961 : « Suivez notre modèle de politique économique, et vous arriverez à l'abondance. » Or, nous dit Lester Brown [6], c'est la première fois dans l'histoire de l'humanité qu'un continent entier, l'Afrique, voit son niveau de vie diminuer depuis quinze ans, en temps de paix mondiale. Aucun espoir donc de réduire assez vite la natalité, comme nous l'avons fait, par le relèvement du niveau de vie — et « le lit de la misère est fécond », disait Josué de Castro. Un espoir subsiste cependant : le Sri-Lanka et le Kérala, en Inde, ont fortement réduit leur natalité en généralisant l'éducation des fillettes, rurales incluses.

Mais les « prêts d'ajustement structurel » du Fonds monétaire international exigent la réduction des dépenses publiques, et le Fonds des Nations unies pour l'enfance (UNICEF) a montré que cela touche aussi les budgets d'éducation et de santé [7]. Le tiers monde

---

6. Du Worldwatch Institute, Washington.
7. *La Situation des enfants dans le monde 1989*, UNICEF, décembre 1988.

endetté (il l'est aussi par le mécanisme du sous-paiement de ses denrées agricoles et minérales d'exportation) est obligé de développer ses cultures d'exportation aux dépens de ses cultures vivrières, donc de la nutrition et de la santé de la majorité de la population. Il brade à trop bas prix son patrimoine de richesses minérales et pétrolières. Il démolit les forêts d'Amérique du Sud pour en faire de mauvaises prairies, où l'on produit de la viande de bœuf à destination de l'Amérique du Nord, qui en dispose déjà en surabondance, avec sa propre production. Avec l'automobile, c'est la religion du bifteck, la protéine de loin la plus coûteuse, qu'il faut mettre en cause.

La survie prolongée de l'humanité commence par la réduction des inégalités : il faut payer correctement toutes les ressources rares et non renouvelables de la planète, pour en diminuer le gaspillage. Et par la réduction massive des dettes du tiers monde — et même leur suppression, pour les plus pauvres.

Chacun s'accorde à redouter l'« hiver nucléaire », et le président Reagan a dû finir par rechercher un accord avec ce qu'il appelait l'empire du mal. Claude Julien rappelle[8] que Moscou et Washington disposent de 26 000 fois la puissance de tous les explosifs utilisés pendant la Seconde Guerre mondiale. Ces deux super-puissances voient leurs économies toutes deux menacées par l'excès délirant de leurs dépenses militaires : le moment est propice pour les ramener à la raison.

Si nous mettons en face toutes les dépenses que vont exiger les nouvelles formes d'un développement « susceptible de se prolonger sur une longue période et sans

---

8. Voir plus loin, p. 79-93.

dégâts » *(sustainable development)*, on voit qu'il ne pourra être réalisé, être financé, sans une réduction massive et rapide de toutes les dépenses d'armements. L'économie « viable à long terme », les nouvelles énergies, la protection de l'environnement, les innovations technologiques, l'immense effort de recyclage, exigent un gigantesque effort d'investissement totalement repensé, et d'abord de recherche. Or une proportion excessive de chercheurs — entre le tiers et la moitié — sont obligés de se consacrer, directement ou indirectement, aux recherches militaires. Les dépenses d'armements ont aussi contribué à l'endettement du tiers monde. La sécurité de l'humanité, de nos pays, ne peut plus être assurée, ne peut plus être recherchée, par un accroissement exorbitant des dépenses consacrées, par exemple, à ce qu'on appelle la « guerre des étoiles ». Seule la protection de l'environnement nous assurera la vraie sécurité, celle de la vie.

Ni Est, ni Ouest, le choix de la vie

Tous ces problèmes ne peuvent plus être vraiment résolus qu'à l'échelle mondiale. Comme ils ont d'énormes répercussions, économiques et politiques, ils ne peuvent plus être abordés efficacement en l'absence d'une autorité politique et économique établie à l'échelle de notre planète. Nous sommes passés de la famille au clan, puis aux duchés, aux nations, aux empires ; et nous voici déjà en présence d'une Communauté, et finalement de deux blocs : l'Est et l'Ouest. Il nous faut franchir une « nouvelle frontière » par la réalisation, étape par étape, par dialogues, erreurs et rectifications, d'une forme d'autorité mondiale ayant les moyens d'imposer les politiques et les économies désormais indispensables à la survie prolongée de l'humanité. Nous lui fixerions cette tâche comme son objectif absolument prioritaire. Tâche éminemment complexe et difficile, mais l'enjeu en vaut la peine.

L'humanité tout entière se trouve, pour la première fois de son histoire, en présence d'une série de décisions qui commandent tout son avenir. Il ne s'agit plus de choisir entre Moscou et Washington, ni même entre le Nord et le Sud. Le problème est en quelque sorte plus simple, il se situe entre la vie et la mort, pour nos descendants. Mais le choix de la vie entraînera, pour les privilégiés abusifs que nous sommes, une série de contraintes : il nous faut renoncer à tous les gaspillages qui ne satisfont guère que notre orgueil. Il nous faut rebâtir une société où la solidarité respectera la dignité de l'autre et de nos descendants, pas seulement en paroles mais économiquement, politiquement et écologiquement [9].

---

9. René DUMONT (avec la collaboration de Charles PAQUET) a fait paraître aux éditions du Seuil, en 1988, un livre qui développe ces idées, avec plus d'accent sur le tiers monde, sous le titre *Un monde intolérable, le libéralisme en question* (288 pages, 110 F).

3

Des sociétés écartelées par les inégalités

Par Claude Julien

En quelques années les injustices au sein des sociétés développées se sont dangereusement aggravées, tandis que s'approfondit le fossé entre le Nord porté par la modernité et le Sud sous-développé. Partout, la crise est devenue une puissante machine à renforcer les inégalités et à multiplier les exclus sacrifiés à une pensée économique complètement folle.

Grisante prospérité : le pouvoir d'achat des ménages a augmenté en France de 66 % en vingt-deux ans [1], et aux États-Unis de 20 % au cours des seize dernières années [2]. Ainsi, malgré la « crise », les populations de

---

1. Période 1962-1984. Source : Centre d'études des revenus et des coûts (CERC), *Les Revenus des ménages, 1960-1984, Rapport de synthèse*, p. 61.
2. Période 1970-1986. D'après le Congressional Budget Office, cf. *International Herald Tribune*, 8 mars 1988.

ces deux pays voient sans cesse s'améliorer leurs conditions de vie. A quelques nuances près, il en va de même dans l'ensemble des pays industrialisés.

Ébranlée par les chocs pétroliers, bouleversée par de stupéfiantes innovations technologiques, concurrencée par les « *nouveaux producteurs* » à bas niveau de salaires, freinée par une contraction de la demande en provenance de certains pays du tiers monde surendettés, et, surtout, légitimement émue de la montée du chômage [3], l'économie occidentale n'en est pas moins en bonne santé. Elle a su faire face à l'adversité. Assez de jérémiades, trêve de morosité. Mais veut-on y regarder de plus près ? Aux États-Unis, le cinquième le plus riche de la population accapare 43,7 % de tous les revenus, contre 4,6 % pour le cinquième le plus pauvre. En dollars constants, une famille appartenant à la première catégorie dispose cette année de 10 000 dollars de plus qu'en 1970, alors qu'une famille dans la seconde catégorie perçoit 1 750 dollars de moins [4].

Un modèle aberrant créateur d'injustices

Les extrêmes tendent ainsi à s'écarter. D'un côté, des professionnels de haut niveau, pleinement à leur aise dans la société technologique, qui ont eu accès à toutes les ressources de la culture, exercent une activité qui les investit de lourdes responsabilités dans le secteur

---

3. Voir les prévisions de l'OCDE sur l'accroissement du chômage (12 % en France à la fin de 1989, contre 10,5 % aujourd'hui) citées dans « La faute gestionnaire », *Le Monde diplomatique*, février 1988.

4. « A Rising Tide of Inequality », *International Herald Tribune*, 8 mars 1988.

privé ou dans la fonction publique, disposent de revenus de plus en plus confortables à la fois grâce au salaire qu'ils perçoivent et aux dividendes de leurs actions cotées en Bourse. De l'autre côté, une couche sociale cantonnée dans des tâches d'exécution lorsqu'elle a le privilège de trouver un emploi, dont les enfants resteront à leur tour dépourvus de qualification professionnelle, et qui s'appauvrit en chiffres absolus.

Ce n'est pas exactement la société « duale » ou « à deux vitesses », dont on parlait beaucoup dans les années soixante-dix, car entre les deux extrêmes se déploient toutes les gradations des classes moyennes, dont les unes, au sommet, prospèrent dans le sillage des privilégiés, tandis que les autres, vers le bas, stagnent ou progressivement se prolétarisent.

Le phénomène est pour l'instant moins marqué en France, où il se met toutefois en place, avec quelque retard sur l'Amérique, par les mirages de la politique libérale. Un seul exemple : de 1983 à 1986, la rémunération globale du travail salarié a augmenté de 20 % en francs courants, et celle du capital de 85 % [5]. Belle performance ! Le pouvoir d'achat du revenu moyen par ménage, qui jusqu'alors avait régulièrement progressé, a diminué en moyenne de 0,6 % par an entre 1979 et 1984 [6]. Exception faite pour les cadres supérieurs et les professions libérales, dont les rémunérations les plus élevées tendent encore à prendre de l'avance, on assiste dans l'Hexagone à une homogénéisation relative des revenus moyens des différentes catégories socioprofes-

5. CERC, *Constat de l'évolution récente des revenus en France (1983-1986)*, p. 10.
6. CERC, *Les Revenus des ménages, op. cit.*, p. 61.

sionnelles[7]. Tel est l'effet, encore bien imparfait, des politiques salariales et fiscales, complétées par les diverses formes de prestations sociales. Rien de semblable sur la scène américaine, où, devenue folle, la machine inégalitaire tourne à plein régime. C'est ce modèle aberrant, créateur de criantes injustices, qu'exaltent en France les néolibéraux, tout disposés à sacrifier à leur idéologie une pratique sociale qui jusqu'à présent avait pourtant su éviter le pire.

« Nous ne pouvons pas laisser aller les choses »

En dépit d'un aussi appréciable résultat, la grande pauvreté gagne chaque année du terrain dans les campagnes et les villes françaises. Présenté par le R.P. Joseph Wresinski, un rapport du Conseil économique et social estime que 2 500 000 personnes vivent dans une extrême précarité[8]. Leur sort tragique est toujours déterminé par des causes cumulatives : handicaps physiques ou mentaux, inadaptation professionnelle, illettrisme, chômage prolongé, difficultés de logement, ruptures familiales, etc.

Certains analystes ont cru pouvoir contester les chiffres du Conseil économique et social. Si leur confort moral en est ainsi amélioré, grand bien leur fasse... Mais, obligé de parer aux défaillances des services officiels, le Secours catholique, qui était venu en aide à

---

7. *Ibid.*, p. 84.
8. Conseil économique et social, *Grande pauvreté et précarité économique et sociale*, rapport présenté par le R.P. Joseph Wresinski les 10 et 11 février 1987, *Journal officiel*, 28 février 1987, p. 99.

250 000 individus ou familles de 1980, a dû intervenir dans 630 000 cas en 1986 — soit environ un million et demi de personnes. A quoi s'ajoutent les individus ou familles secourus par tant d'autres organismes caritatifs : Armée du Salut, CIMADE, ATD Quart-monde[9], Communauté d'Emmaüs, etc. Toujours bénévoles, hommes et femmes de terrain côtoient chaque jour l'indicible détresse que les statistiques officielles figent en des chiffres glacés.

La même société produit simultanément le meilleur et le pire : d'un côté, elle déchiffre l'ADN, construit de prodigieux robots, sonde les espaces interstellaires ; de l'autre, elle multiplie les exclus alors qu'elle tendait à les absorber. Cette dichotomie serait-elle le sceau inéluctable de la civilisation en train de naître sous nos yeux ? Le progrès technique doit-il nécessairement engendrer une société à plusieurs vitesses ?

L'écartèlement observé au cœur d'un pays industrialisé, policé, cultivé, fier de sa politique sociale si chèrement conquise, se retrouve amplifié, à l'échelle d'une planète qui, pour l'essentiel, reste livrée au jeu aveugle de forces « naturelles » que rien, ou presque rien, ne vient réguler, rectifier, équilibrer.

« Voyez-vous encore une lueur d'espoir pour les déshérités de la planète ? » demande un hebdomadaire aussi peu suspect de tiers-mondisme que *L'Express*.

« Hélas ! il est un tiers monde qui continue de s'enfoncer dans la misère », répond Jacques Chirac. Si libéral soit-il, l'ancien ministre n'envisage pas un seul instant, pour conjurer les périls, de s'en remettre aux

---

9. Voir l'article d'Alwine de Vos von Steenwijh, *Le Monde diplomatique*, mars 1988, p. 11.

seules lois du marché. « Nous ne pouvons pas, dit-il, laisser aller les choses sans faillir à notre vocation et sans méconnaître l'intérêt bien compris de tous. » Aussi préconise-t-il d'« accroître les aides bilatérales et multilatérales », mais « surtout » d'« apporter des solutions nouvelles au grave problème de l'endettement » du tiers monde [10].

Des propos aussi interventionnistes ont de quoi indigner ceux qui vont répétant que seul le libre-échange résoudra les déséquilibres mondiaux. Ils avaient cru trouver dans la famine qui sévit en Éthiopie une occasion de proclamer leurs fragiles certitudes et de faire un éclat [11]. Les voici bien discrets sur la situation non moins dramatique qui règne au Soudan, où 3 millions de personnes ont besoin d'aide alimentaire [12].

Les mauvaises famines, et... les bonnes

Contrairement à l'Éthiopie, le Soudan n'est pas prosoviétique, mais, comme elle, il est ravagé par une guerre civile : les anti-tiers mondistes en font grief au régime rouge d'Addis-Abeba, ils n'en blâment nullement celui de Khartoum. Et pourtant, les tactiques de la guérilla sont identiquement cyniques : dans les deux pays, elles s'efforcent d'intercepter les convois de ravitaillement. Au début 1988 encore, au Soudan, « 106 rebelles ont été tués lors de l'attaque qu'ils avaient lan-

---

10. Entretien avec Jacques Chirac, *L'Express*, 4 mars 1988.
11. Cf. *Le Monde diplomatique*, juin 1987. L'Éthiopie a expulsé le 6 avril 1988 toutes les organisations non gouvernementales.
12. Cf. le *Journal de Genève* du 4 février 1988 et le *Financial Times* du 16 février 1988.

cée contre des bateaux et des barges transportant des secours d'urgence à Malakal, chef-lieu de la région du Haut-Nil [13] ». Fût-ce en présence de la plus meurtrière famine, une saine idéologie libérale sait distinguer entre les bons et les mauvais régimes, entre les bonnes et les mauvaises guérillas, entre les bonnes et les mauvaises victimes...

Cette casuistique saugrenue mériterait peut-être quelque considération si les régimes démocratiques, à la fois indépendants de Moscou et épargnés par la guerre civile, enregistraient des résultats satisfaisants. Hélas ! rien « ne peut cacher les signes d'un déclin économique brutal dans la plupart des pays d'Amérique latine [14] », où s'accentuent les phénomènes d'exclusion sociale. Les pluies torrentielles qui, en février 1988, ont fait au Brésil plus de 200 morts et quelque 11 000 sans-abri, ont fourni l'occasion de rappeler que, « endettée jusqu'au cou (116 milliards de dollars), déstabilisée par l'inflation (366 %), la huitième puissance économique mondiale est une démocratie en péril [15] ».

Au prix de rudes sacrifices imposés à la population, le Brésil a pu verser 350 millions de dollars, qui ne représentent qu'un maigre tiers des intérêts venus à échéance en janvier 1988. Les banques créditrices ont aussitôt saisi ce geste de bonne volonté pour annoncer un plan de rééchelonnement de 50 milliards de dollars — soit 43 % de la dette du pays — sur vingt ans.

Riche en matières premières, possédant une importante base industrielle et une élite formée dans les meil-

---

13. *International Herald Tribune*, 23 février 1988.
14. *Ibid.*, 2 février 1988.
15. *La Croix*, 17 février 1988.

leures universités nationales et étrangères, le Brésil dispose d'atouts que peuvent lui envier la plupart des pays sous-développés. Et cependant, pour considérable qu'il soit, l'effort consenti en sa faveur par les banques ne lui permettra pas, à vue humaine, de sortir de l'ornière : quelque 40 millions de Brésiliens vivent à l'écart des circuits économiques, une trentaine de millions d'enfants sont à la rue. Tel est le sort d'un « géant » du tiers monde, d'un « nouveau pays industrialisé » qui ne manque pas d'enlever certains marchés aux Européens et aux Nord-Américains. Comment s'en étonner alors que, aux États-Unis, d'après *Newsweek* (25 avril 1988), plus d'un million d'adolescents sont à la rue...

Un tiers monde à plusieurs vitesses

Victime de ses propres erreurs, d'une détestable gestion qui, pendant les deux décennies de dictature militaire, a englouti de fabuleux crédits dans la construction d'« éléphants blancs » (équipements militaires, route transamazonienne, etc.), le Brésil est aussi prisonnier d'un système mondial qui ne lui laisse que de bien fallacieux espoirs. La Banque mondiale a salué comme il convenait le remarquable essor de sa production, tout en remarquant que ses recettes d'exportation ne lui permettraient pas d'éponger sa dette. La « crise » contraint les pays industrialisés à freiner leurs importations en provenance du tiers monde. Débouchés restreints pour les produits manufacturés, chute des cours des produits de base : les perspectives du tiers monde restent sombres. L'inquiétante progression du nombre d'« exclus » dans les sociétés développées n'est qu'un

61

pâle reflet, et à très petite échelle, des mécanismes d'exclusion à l'œuvre dans les pays du Sud.

Chacun sait trop bien que ces pays ne sont nullement homogènes. Les anti-tiers-mondistes en tirent argument pour contester le concept même de tiers monde, alors que celui-ci désigne clairement de vastes régions, disparates par leur superficie, leur climat, leurs ressources naturelles, leur régime politique, mais qui possèdent en commun les mêmes difficultés à vivre entre le « premier monde » (l'Occident capitaliste) et le « second monde » (les pays communistes).

Dans cet ensemble extrêmement divers, certaines zones (Inde, Brésil...) sont relativement mieux loties que d'autres (Sahel, Bangladesh...). Depuis longtemps déjà, en dressant la liste des « pays les moins avancés » (PMA), le FMI et la Banque mondiale ont officialisé une ébauche de tiers monde « à plusieurs vitesses », trouble reflet du « dualisme » qui, en Occident, distingue, sur un bord, les États-Unis, l'Allemagne fédérale ou le Japon, et, sur l'autre bord, la Grèce ou le Portugal.

Encore plus contrastées que celles du Nord, les sociétés du Sud n'en possèdent pas moins leurs néo-aristocraties ou leurs néo-bourgeoisies, culturellement et socialement fort éloignées des populations souvent analphabètes et misérables sur lesquelles elles règnent. Planète disloquée par de grandissants écarts de développement selon les pays, sociétés écartelées entre riches et pauvres au Sud, encore plus qu'au Nord : bien des chômeurs français feraient figure de privilégiés aux yeux d'habitants des *favelas* du Brésil.

Dans tous les cas, les plus faibles s'offrent comme victimes naturellement désignées. En Europe et en

Amérique du Nord, ils fournissent aux organisations charitables une « clientèle » toujours plus nombreuse. Dans le tiers monde, le phénomène est amplifié par le sous-développement.

Ainsi, pris à la gorge, l'État de São Paulo a drastiquement réduit son programme de vaccinations, entraînant de ce fait une vague de maladies contagieuses mortelles qui font des ravages parmi les enfants. Au Sri-Lanka, par application des « plans d'ajustement », les subventions aux produits alimentaires de première nécessité ont été coupées, aggravant la malnutrition des enfants. De telles mesures découlent des politiques prescrites par le Fonds monétaire international, « qui admet que peu de pays ont été encouragés à protéger en priorité les plus faibles et les plus vulnérables contre les effets de la hache économique [16] ».

La fortune de Marcos et la guérilla communiste

Au Sud comme au Nord, la « crise » est devenue une puissante machine à renforcer les inégalités. Les effets en sont économiquement contestables, socialement inhumains, politiquement dangereux. Au Salvador par exemple, à la fin du mois de mars 1988, le Parti démocrate-chrétien du président Jose Napoleon Duarte a perdu, au profit de l'extrême droite, la majorité parlementaire et le contrôle des municipalités dans treize capitales provinciales sur quatorze. Voyant en lui une chance pour la démocratie et pour la paix civile dans

---

16. Jonathan POWER, « World Poverty : For Children, Especially, Progress Has Halted », *International Herald Tribune*, 2 février 1988.

le plus petit pays d'Amérique centrale, à proximité du Nicaragua sandiniste, Washington avait pourtant comblé de ses faveurs le président Duarte : ces dernières années, près de 3 milliards de dollars d'aide économique et militaire, soit plus de 800 dollars par habitant. Mais la population n'en a retiré aucun bienfait. Le pays compte 40 % de chômeurs. L'affairisme ne s'en porte pas plus mal : un candidat démocrate-chrétien à la Chambre des députés a dû se retirer de la compétition pour avoir détourné 2 millions de dollars d'aide américaine [17]...

Aux Philippines, où la fortune personnelle de l'ex-président Marcos représente la moitié de la dette extérieure du pays, la guérilla communiste connaît un regain de vigueur à la faveur de la misère qui grandit dans les zones rurales. Prisonnière de ses alliances politiques, contestée par certains secteurs de l'armée, Corazon Aquino, en dépit de sa bonne volonté, n'a pu imposer une authentique réforme agraire dans ce pays où 10 % de la population contrôlent 90 % des terres [18]. Qu'elles soient décidées par les gouvernements ou par les banques, les ouvertures de crédits ne visent jamais les couches les plus démunies de la population.

Partout au Sud les paysans et le sous-prolétariat urbain fournissent les plus gros contingents de victimes. Pendant des années, l'Occident a chanté la louange du « modèle » sud-coréen de développement tout en fermant les yeux sur les conditions de travail imposées aux salariés. En février 1988, l'ancien président cédait la place au successeur qu'il avait lui-même désigné et qui,

---

17. *Time*, 4 avril 1988.
18. *Newsweek*, 4 avril 1988.

face à une opposition démocratique divisée, l'avait emporté aux urnes. Enfin libérée, la presse enquêtait aussitôt sur les agissements du frère de l'ex-président, évidemment intouchable à la belle époque du régime fort. Le voici maintenant inculpé de détournement de fonds publics — plusieurs millions de dollars — au détriment d'un vaste programme de développement rural.

De fragiles démocraties menacées par la dette

Si timide soit-il, tout retour à la démocratie permet de déterrer d'énormes scandales qui, s'ils n'en constituent pas la seule cause, ne sont évidemment pas sans lien avec le sous-développement. Ainsi en alla-t-il après la chute de Batista, de Trujillo, de Somoza, du shah d'Iran, des juntes argentine et brésilienne, de Marcos, de Duvalier, de tant d'autres... A chaque fois que tombe une dictature se vérifie cette loi absolue : les malversations soigneusement dissimulées par le régime fort éclatent à la surface au premier souffle de liberté. Ces malversations, qui donc les avait ignorées ? Les médias et les gouvernements occidentaux étaient-ils donc si mal informés ? Les entreprises qui avaient traité avec ces régimes n'avaient-elles rien vu ? Dessous-de-table, pots-de-vin et transferts illégaux leur étaient-ils inconnus ? Au nom du développement, du progrès, de la modernisation, crédits publics et privés affluaient pourtant dans les caisses des dictatures.

Vieille habitude, pratique constante. Pour quels résultats ? Déjà entre 1948 et 1956, le Paraguay avait reçu des États-Unis 66,8 millions de dollars, alors que l'Uruguay, modèle de démocratie, ne s'était vu allouer que 35,2 millions. Jamais un changement survenu à Washington, pas même l'« Alliance pour le progrès » lancée par John F. Kennedy, n'altéra cette prédilection pour les régimes forts. Pourquoi ? Coupables de violer sans mystère les libertés essentielles, d'emprisonner sans jugement, de torturer, d'assassiner, il faut honnêtement leur reconnaître l'incomparable mérite de faire régner un ordre de fer, de protéger jalousement les investissements privés, d'autoriser tout rapatriement de profits.

Résultats : quatre décennies plus tard, au Paraguay, le général Stroessner est toujours fidèle au poste, vieilli mais encore vaillant, tandis que la démocratie uruguayenne, sous le coup d'inextricables difficultés économiques, devait sombrer dans l'agitation sociale et la contestation armée qui préparèrent la longue nuit de la dictature. Comme l'Argentine et le Brésil, l'Uruguay a enfin recouvré la liberté. Que ces fragiles démocraties n'en attendent aucune faveur. L'argent s'oriente de préférence vers la lutte contre les mouvements de guérilla qu'entretient une insupportable injustice sociale. Les peuples sont instamment priés de sacrifier leur développement économique, social, humain, au remboursement des dettes contractées par ceux qui les opprimèrent si longtemps. Et partout grandit dans les campagnes le nombre de paysans sans terre pendant qu'à la périphérie des mégapoles s'entasse la population des bidonvilles. Ainsi prépare-t-on de futures explosions qui seront attribuées à la subversion soviéto-cubaine...

La fabrique des exclus

Les mêmes conceptions économiques produisent en série les exclus : par centaines de milliers dans chaque pays industrialisé, par dizaines de millions dans le tiers monde. « *Brave new world !...* »

Ces gouvernements occidentaux qui, prodigues en bonnes paroles, tolèrent chez eux la multiplication des exclus, pourquoi s'alarmeraient-ils outre mesure des conditions dans lesquelles végètent tant d'êtres humains en de lointains pays ?

Au Nord comme au Sud, les mécanismes d'exclusion sont enclenchés dès l'école. Enquêtant sur les jeunes recrues du contingent, le Groupe permanent de lutte contre l'illettrisme [19] estime que, en France, « sur les 420 000 garçons qui constituent une classe d'appel, on peut compter approximativement 30 000 illettrés (7,14 %) ». Les causes en sont connues. Ont redoublé deux fois pendant leurs classes primaires : 26,1 % des enfants de manœuvres, 22,3 % des enfants de salariés agricoles, 9,8 % des enfants d'ouvriers qualifiés, 5,2 % des enfants d'employés, 0,4 % des enfants de cadres supérieurs et professions libérales [20]. « Hérédité » sociale et culturelle... Or, d'après l'INSEE, le taux de chômage chez les jeunes de quinze à vingt-quatre ans dépourvus de diplômes est passé de 20 % en 1982 à 34,4 % en 1985 pour les hommes, et de 33,4 % à 44 % pour les femmes [21]. Ils ne peuvent s'en prendre qu'à

---

19. GPLI, 25 février 1986. Ce chiffre est confirmé par le ministère de la Défense ; voir *Le Monde*, 9 avril 1988.
20. Cité par le rapport du Conseil économique et social, cf. note 8.
21. *Ibid.*

eux-mêmes. Que diable n'ont-ils fait de meilleures études ? De l'enfance au chômage, les exclus du système scolaire répètent l'histoire de leurs parents.

Dans le tiers monde, malgré l'effort de scolarisation, la poussée démographique est telle que le nombre d'analphabètes ne cesse de croître.

Partout, la qualité des systèmes scolaires préfigure l'avenir. La situation apparaît moins grave en France qu'aux États-Unis, où une forte proportion d'enfants n'a aucune chance d'accéder aux bonnes filières scolaires qui conduisent aux plus prestigieuses universités dont les laboratoires collectionnent les lauréats du Nobel. Une étude du Committee for Economic Development conclut que, parmi les enfants de moins de six ans, un sur quatre vit dans la pauvreté ; un enfant sur trois entrant au jardin d'enfants n'obtiendra pas un diplôme secondaire (quatre ans d'études) ; trois enfants noirs sur quatre ont une mère célibataire, 50 % de ces mères sont des adolescentes [22].

Ainsi sont programmés, pour les années à venir, de frais bataillons de futurs « nouveaux pauvres ». L'imaginaire populaire se résigne volontiers à leur sort — telle est bien la force du racisme quotidien — en supposant qu'il s'agit sans doute, pour l'essentiel, de jeunes Noirs des ghettos. Erreur ! Le Harvard's Center for Health and Human Resources Policy démontre que cette population-là représente moins de 7 % des pauvres en Amérique [23]. Paradoxe que les tenants du libéralisme

---

22. « Mending Families : A New US Priority », *International Herald Tribune*, 9 mars 1988.

23. « America's Hidden Poor », *US News and World Report*, 11 janvier 1988.

économique doivent à tout prix ignorer sous peine de confesser leur cynisme : « Environ 60 % des pauvres sont des adultes en bonne santé et qui travaillent [24]. » La plupart d'entre eux sont blancs, et ils vivent dans des familles doublement privilégiées : les deux parents sont présents au foyer, et elles disposent d'un ou de plusieurs salaires.

L'Amérique redécouvre donc cette admirable catégorie sociale qu'autrefois de pieuses dames d'œuvre désignaient d'une charmante formule : les « pauvres méritants »... Les bardes de l'Ordre moral et du darwinisme social, eux, ont depuis longtemps découvert l'unique cause du malheur : dans toute société qui vénère l'esprit de compétition, la pauvreté ne peut être que le juste châtiment imposé à quiconque n'adhère pas de tout son être à l'éthique du travail et succombe à la paresse, mère de tous les vices... De tels cas sont en effet bien connus.

Mme Thatcher et le darwinisme

Justifient-ils la théorie darwinienne ? De 1978 à 1986, le nombre d'Américains qui travaillent à plein temps et restent pourtant pauvres est passé de 1 300 000 à 2 000 000. Et le nombre de ceux qui, toujours pauvres, ont non sans mal réussi à trouver un emploi pour au moins trente semaines par an a grimpé de 4 600 000 à 7 000 000. « Les pauvres ne sont pas ceux que vous croyez », commente *US News and World Report*, bien obligé de constater que « la récente reprise économique

---

24. *Ibid.*

n'a pas ramené à son niveau de 1978 le nombre de pauvres possédant un emploi salarié ». Tel est bien le trait caractéristique de la nouvelle situation économique que le mot « crise » désigne sans la définir : malgré le hoquet boursier du 19 octobre 1987, l'indice Dow Jones atteint à Wall Street de nouveaux sommets, et la pauvreté prolifère.

Fatalité ? Impuissance de l'esprit humain à maîtriser une évolution marquée à la fois par la mondialisation du système, l'irruption des nouvelles technologies, l'anarchie monétaire internationale et l'émergence d'un capitalisme financier sauvage ? Il serait maintenant trop facile d'ironiser — ce fut fait en temps opportun — sur les rêveries de la reaganomie, sur l'avidité de spéculateurs nécessairement sans scrupules, ou, plus concrètement, sur l'affligeant spectacle de ces cabanes de bidonville érigées à Atlantic City (New Jersey) à l'arrière du Trump Plazza, un casino dont le chiffre d'affaires atteint 2,5 milliards de dollars [25].

L'Occident tout entier dispose d'argent pour des futilités, pour le luxe ostentatoire, pour des programmes d'armement qui accroissent la capacité de « sur-tuer » *(overkill)* l'ennemi que l'on aurait déjà proprement vitrifié. Plus d'argent que d'idées : lord Keynes dépassé, aucune théorie économique ne rend plus compte de la réalité, place donc à la religion néolibérale. Fort heureusement, l'argent a des idées. Et ces idées sont suffisamment élaborées pour servir des intérêts bien concrets.

Phare de la pensée moderne de 1981 à 1988, c'est le

---

25. Cf. *Newsweek*, 28 mars 1988. Les jeux de hasard absorbent aux États-Unis 8 milliards de dollars par an.

président Reagan qui avait donné le *la* en réduisant l'impôt sur le revenu personnel à un minimum de 15 % et, pour les tranches les plus élevées, à un maximum de 33 %. Fidèle disciple, l'Angleterre thatchérienne suit le branle en présentant en mars dernier un budget qui ramène les paliers d'imposition de six à deux : 25 % et 40 %. Coût pour le Trésor : 7,2 milliards de dollars, que les familles aisées ou riches n'auront pas à débourser. La moitié de cette somme profitera à 10 % des contribuables. Réforme « injuste et inégalitaire » commente sobrement le *Financial Times*. Margaret Thatcher doit encore faire un effort pour rivaliser avec Ronald Reagan. Elle ne cache pas que, dans le marché unique de 1993, elle espère bien entraîner sur la même voie toute l'Europe communautaire.

Avec des ressources budgétaires aussi fortement amputées, comment le gouvernement britannique pourrait-il venir en aide aux plus défavorisés ? Par chance, tel n'est pas le souci de Margaret Thatcher. « Elle a été convaincue que de plus grandes inégalités [sociales] sont indispensables à la renaissance industrielle » note Anthony Sampson [26]. Pendant des mois, les travailleurs du service national de santé en ont fait l'expérience : ils ont multiplié les grèves pour obtenir du gouvernement des crédits supplémentaires qui ne représenteraient que la moitié du cadeau fiscal. En vain. La santé économique avant la santé tout court : les riches trouveront toujours le moyen de se soigner. Le pays compte 3 millions de chômeurs et voit grandir le

---

26. Voir son éditorial dans *Newsweek*, 4 avril 1988 ; cf. aussi *Newsweek* et *Time* du 28 mars 1988.

flot des marginaux ? Mais ils doivent comprendre que nous vivons au temps des gagneurs...

Indifférents aux drames sociaux, les néolibéraux seraient-ils sensibles à des comparaisons économiques ? Ils admirent les performances du Japon — mais celui-ci taxe à 78 % les plus hauts revenus ; ou de l'Allemagne fédérale — elle les impose à 56 % (France : 58 %). La Suède et le Danemark comptent peu de chômeurs ? Ces deux pays prélèvent respectivement 82 % et 70 % des tranches supérieures de revenus. Ils asphyxient ainsi la compétition économique ? Leur niveau de vie et leur balance commerciale s'inscrivent en faux contre pareille assertion.

Bien que, érigée en principe de gouvernement, l'inégalité fasse des victimes, il faut lui reconnaître une irremplaçable vertu : elle incite les plus mal lotis à tout faire pour « s'en sortir », décuple leurs énergies, stimule leur esprit de compétition que chloroformaient l'État-providence et ses stérilisantes politiques d'assistance.

Valable dans une société avancée, ce principe ne l'est pas moins à l'échelle planétaire. Il est bon, juste et salutaire que les peuples les plus démunis, contemplant avec envie l'efficacité et les fastes du monde industrialisé, se sentent poussés à mobiliser toutes leurs forces en vue de les égaler. Rétrograde rêveur celui qui chercherait ailleurs le secret du progrès. Depuis des millénaires, le monde animal expérimente cette règle : la compétition entre les espèces établit une sélection naturelle d'où les plus aptes sortent victorieuses.

« Il y aura toujours des riches parmi vous »

L'homme n'est après tout qu'un animal supérieur. Il n'échappe pas à la loi universelle. Mais il manifeste sa supériorité en faisant preuve de compassion. Bon prince, il alloue donc aux chômeurs d'éphémères allocations, aux peuples affamés des secours alimentaires prélevés sur ses excédents invendables. Portés par cette impétueuse générosité qui lui vaut une place éminente dans le règne animal, il offre même aux sans-travail des stages de formation, aux pays attardés une aide pour leur développement. Jamais les lemmings n'ont accédé à un tel niveau de conscience : menacés par leur surnombre, ils n'assurent leur survie que par des suicides en masse. Indigné, l'homme moderne libéral — *Homo pecuniarum* — récuse pour la planète surpeuplée une aussi barbare solution. Bienveillant, ne s'est-il pas naguère engagé à octroyer 1 % de son PNB aux peuples sous-développés ?

Accablé par ses propres difficultés, il est vrai qu'il ne parvient pas à tenir son altruiste promesse. Mieux, les flux de capitaux ne sont plus orientés Nord-Sud, mais Sud-Nord. En 1986, l'Amérique latine a payé aux pays industrialisés 25,6 milliards de dollars de plus qu'elle n'a reçu d'eux [27]. A Paris, la Caisse centrale de coopération économique voit affluer vers elle des sommes nettement supérieures aux crédits qu'elle accorde à l'Afrique...

Il serait vain de le déplorer, car ainsi le veut le système — un système qui a fait ses preuves. Pourquoi

---

27. *Le Monde*, 7 avril 1988.

le changerait-on ? Pourquoi saper les fondements d'une prospérité déjà mise à rude épreuve ? Tout au plus peut-on tenter d'en atténuer les pires méfaits. Sans toucher à l'essentiel. De même que Claudel, debout près d'un pilier de Notre-Dame, avait été illuminé par la grâce, de même les grands-prêtres du libéralisme, recueillis derrière une colonne de la Bourse, ont vu s'ouvrir le ciel, et, des nuées déchirées, une voix persuasive leur a dit : « Il y aura toujours des riches parmi vous. » Sans eux, que deviendraient les pauvres ?

Cramponnés à des théories du siècle dernier, encore plus anachroniques que la vulgate marxiste mais illustrées d'équations aussi longues que prétentieuses, les « nouveaux » économistes ne sont pas seuls à avoir entendu la parole salvatrice. Plus démunie la multitude, plus éclatant le faste de quelques-uns. Ainsi, la misère frappe l'Afrique, mais le président Mobutu, qui depuis vingt ans règne sur le Zaïre surendetté, est l'un des hommes les plus fortunés du monde. Nul ne l'ignore, ni au FMI, ni dans les banques commerciales, ni dans les banques commerciales, ni dans les gouvernements des plus intègres démocraties. M. Mobutu n'est d'ailleurs pas seul de son espèce. Sans doute moins douées que lui, les néo-bourgeoisies qui accaparent le pouvoir dans la plupart des pays du tiers monde font preuve d'une aptitude certaine à confondre fonds publics et intérêts privés.

A tous ces prédateurs, l'Occident magnanime offre même le havre des paradis fiscaux et comptes à numéros. Institutions parfaitement désintéressées, dont profitent cependant toutes les mafias du monde, les entreprises et les particuliers qui savent veiller sur leur bien le plus sacré. Comment croire encore aux nobles dis-

cours sur le développement et la démocratie aussi longtemps que seront tolérés les moyens d'une gigantesque
fraude ? La réponse est connue : la richesse de quelques-
uns — individus ou pays — est indispensable au bien-
être de tous. Sous toutes les latitudes. C'est pourquoi,
pour la protéger, les gouvernements libéraux — en
France par exemple — n'hésitent pas à amnistier démo-
cratiquement les capitaux coupables d'avoir fui illégalement leur pays d'origine.

Une pincée de génie et de générosité

Contrastes sociaux de plus en plus marqués au cœur
de l'Occident moderne, contrastes nationaux accentués
entre le Nord et le Sud : la civilisation en train de naître ne se résigne pas, morfondue, devant de croissan-
tes inégalités. Elle les cultive. Une étude de l'UNI-
CEF [28] recommande aux gouvernements des pays
sous-développés de concentrer leur aide sur les groupes
sociaux les plus pauvres afin d'atténuer tant soit peu
la rigueur des « plans d'ajustement » que leur impose
le FMI. Mais, dans l'Amérique reaganienne comme
dans l'Angleterre thatchérienne, en France depuis quelques années et sans doute demain dans l'Europe du
« marché unique », les politiques déjà mises en œuvre
ou simplement à l'étude vont exactement dans la direction opposée : faveurs fiscales pour les possédants, érosion de la protection sociale et dépérissement des services publics. Sublime, le libéralisme triomphant édi-

---

28. *La Situation des enfants dans le monde 1989*, UNICEF, décembre
1988.

fie sa modernité sur la régression sociale. Nul ne saurait lui en vouloir : pour maîtriser la civilisation nais-
sante, pour mettre les technologies nouvelles au service
de l'épanouissement humain, il lui faudrait culture et
imagination, éventuellement saupoudrées d'une pincée
de génie et de générosité. Lorsqu'il entend ces mots, le
libéral sort sa calculette et son relevé bancaire : il
s'occupe, lui, de choses sérieuses...

II

Quand s'épuisent les deux grands

Nécessité pour les États-Unis de réduire leur désastreux déficit budgétaire, obligation pour l'Union soviétique de canaliser ses ressources vers une production civile en perdition, les préoccupations économiques et les intérêts nationaux de chacun des deux grands ont joué un rôle décisif dans l'évolution actuelle vers le désarmement. La signature, en décembre 1987, du traité portant sur l'élimination des armes nucléaires à moyenne portée, les rencontres multiples entre Ronald Reagan et Mikhaïl Gorbatchev, la réduction unilatérale des forces conventionnelles soviétiques, témoignent de la naissance d'une pensée plus réaliste. Mais il faudra encore du temps, et bien de l'imagination, pour consolider durablement la détente, pour l'enraciner dans une conception rénovée des relations internationales.

4

Le prix des armes

Par Claude Julien

Chaque jour, les États-Unis et l'Union soviétique dépensent 1,5 milliard de dollars pour leur défense. Mais cette onéreuse folie a fini par épuiser les deux grands dont les économies se révèlent incapables de supporter de tels fardeaux. Du même coup changent les rapports que l'on entretient avec l'« autre » et vient l'heure des « révisions déchirantes ».

Les États porteurs d'ambitions démesurées finissent tôt ou tard par se heurter à une question dure comme le roc : peuvent-ils payer le prix de leurs grandioses rêveries de puissance ? Lorsque, pour la première fois, cette idée effleure leur esprit, ils refusent spontanément de douter d'eux-mêmes et persévèrent en de ruineux efforts dont ils attendent une nette supériorité.

C'est ainsi que les deux grands ont englouti de fabuleuses richesses dans le développement d'un potentiel

79

militaire qui, privilège insensé, permet à chacun d'eux d'anéantir plusieurs fois l'adversaire. Ils s'épuisent dans une course incessante pour dépasser une « parité » chaque jour portée à un niveau supérieur. Cette onéreuse folie ne perturbe nullement leur sérénité : ils espèrent toujours qu'une percée technologique leur assurera un avantage décisif. Vient pourtant un moment où ils doivent admettre que les moyens dont ils disposent ne leur permettent pas de faire n'importe quoi. De trop lourdes charges économiques sonnent alors l'heure d'une « révision déchirante » *(agonizing reappraisal)*. Du même coup changent le regard porté sur l'autre, le discours qui le décrit, les rapports que l'on entretient avec lui.

Six mois après la signature à Washington du traité portant élimination des armes nucléaires à moyenne portée (FNI), la rencontre Reagan-Gorbatchev à Moscou en mai 1988 a consacré l'irruption des réalités économiques dans le champ d'abusives prétentions idéologiques. Certes, l'accord prévoyant de réduire de moitié les stocks de missiles stratégiques n'a pu être signé, mais « il est maintenant à notre portée », a déclaré le président des États-Unis [1].

Une nouvelle ère de l'histoire

Plus important encore, « nous commençons, dit-il, à abattre les barrières érigées après la guerre, nous entrons dans une nouvelle ère de l'histoire, une époque

---

1. Ronald Reagan, discours de Londres, 3 juin 1988. De larges extraits en sont publiés dans le *Financial Times*, 4-5 juin 1988.

de changements durables en Union soviétique ». Tranchant sur le scepticisme qui prévalait encore, Ronald Reagan décrivait Mikhaïl Gorbatchev comme « un homme sérieux, cherchant à effectuer des réformes sérieuses ». A l'intérieur de l'Union soviétique, mais aussi dans sa politique étrangère : il estimait que « l'expansionnisme recule ». Non seulement le président souhaitait que « ce courant continue », mais, bien plus, il s'engageait : « Nous devons faire tout notre possible pour l'aider » à se développer [2]. Au Kremlin, répondant à l'impertinente question d'un journaliste, il se risquait même à observer que l'Union soviétique n'est plus l'« empire du mal » [3]. Ce qui lui valut une réplique immédiate de Zbigniew Brzezinski, ancien conseiller du président Carter : « La guerre froide n'est pas terminée, et l'empire est toujours celui du mal [4]. » La forme et la substance du dialogue entre Moscou et Washington ont pourtant radicalement changé. Pourquoi ?

Une personnalité américaine rapporte avoir dit à un officiel soviétique que l'URSS ne tarderait pas à apprendre une leçon que les États-Unis ont déjà apprise à leurs dépens : « L'empire ne paie pas. » Son interlocuteur lui répondit en souriant : « Nous l'apprenons. » Tout empire s'étend par de multiples moyens — militaires, commerciaux, financiers, culturels, politiques, etc. — déterminés par les capacités économiques de la puissance impériale. Pour des raisons différentes, dans

---

2. *Ibid.*
3. *Newsweek*, 13 juin 1988.
4. « Summit Theatrics Didn't End the Cold War », par Zbigniew BRZEZINSKI, *International Herald Tribune*, 7 juin 1988.

des conditions que rien ne permet de comparer, chacun des deux empires a tardivement découvert les limites de ses ressources matérielles.

« Nous n'avons plus les moyens financiers d'agir »

S'il s'obstine à vitupérer un empire du mal réputé immuable, Zbigniew Brzezinski est pourtant bien contraint de constater l'« indéniable déclin relatif de la primauté économique » des États-Unis dans le monde[5]. Sept prestigieuses personnalités américaines[6] remarquent de leur côté que le ralentissement des gains de productivité, les déficits budgétaires chroniques et le gonflement de la dette extérieure ont miné la puissance du pays au point de l'obliger à restreindre ses engagements de dépenses en divers domaines : « guerre des étoiles », modernisation des systèmes d'armes existants, construction d'avions et de porte-avions à propulsion nucléaire, etc.

Dans un article qu'ils cosignent, Henry Kissinger et Cyrus Vance, tous deux anciens secrétaires d'État, portent eux aussi un sobre diagnostic : « En dépit de notre vaste puissance militaire, notre aptitude à modeler unilatéralement le monde est de plus en plus limitée. Nous n'avons plus les moyens financiers d'agir par nous-

---

5. Zbigniew BRZEZINSKI, « America's New Geostrategy », *Foreign Affairs*, printemps 1988.
6. Harold Brown, Melvin R. Laird, James Schlesinger (anciens secrétaires à la Défense), W. Michael Blumenthal et William E. Simon (anciens secrétaires au Trésor), Cyrus R. Vance (ancien secrétaire d'État) et Paul A. Volker (ancien président de la Réserve fédérale). Voir *International Herald Tribune*, 4-5 juin 1988.

mêmes sur la scène internationale comme nous le faisions dans l'immédiat après-guerre [7]. » Un « nombre croissant d'Américains » souhaitent d'ailleurs réduire le rôle mondial des États-Unis et laisser à d'autres nations le soin d'« assumer de plus grands risques, responsabilités et charges financières ». Les États-Unis ne sauraient pour autant se retirer complètement de la partie. Fût-ce en vue d'une présence plus modeste, il faut, concluent MM. Kissinger et Vance, « remettre en ordre notre économie ».

Par quels moyens ? La réponse des deux anciens secrétaires d'État ne comporte aucune ambiguïté : « Nous devons admettre que notre économie et notre consommation se sont tellement étendues que le remède impliquera des sacrifices et une plus lente amélioration de nos conditions de vie. » Faute de quoi « nos enfants paieront le prix de notre inattention ».

Un transfert de ressources vers le civil

Aucun des deux candidats à la succession de Ronald Reagan ne s'était clairement exprimé ni sur le déclin du dollar ni sur les déficits budgétaires. De nombreux financiers européens et asiatiques en avaient été « consternés » [8]. Force est alors de rendre possible, par la négociation avec l'Est, un allégement des charges militaires. Voilà bien ce qu'a tenté un croisé pourtant aussi exalté que M. Reagan. Voilà ce que tentera sans aucun

---

7. Henri KISSINGER et Cyrus VANCE, « An Agenda for 1989 », *Newsweek*, 6 juin 1988.
8. *US News and World Report*, 13 juin 1988.

doute M. Bush. MM. Kissinger et Vance appuient sa démarche en insistant sur l'importance du « dialogue politique » avec Moscou, et ils ajoutent : « Il est impératif que la prochaine phase [des négociations] porte sur les armes conventionnelles en Europe. » Le fardeau militaire pèse décidément trop lourd. Des coupes s'imposent.

Chacun des deux anciens secrétaires d'État a plusieurs fois rencontré Mikhaïl Gorbatchev. Ils l'ont trouvé, écrivent-ils, « éloquent lorsqu'il explique qu'il préfère vivre en paix avec l'Ouest et réduire les dépenses militaires soviétiques afin d'opérer un transfert de ressources vers l'économie civile ». Ressources à la fois budgétaires, technologiques, humaines [9]. A défaut d'un tel transfert, l'Union soviétique ne verrait pas seulement s'amplifier son retard sur l'Ouest : elle deviendrait à bref délai un véritable pays sous-développé. Zbigniew Brzezinski estime « improbable que le Kremlin parvienne à diminuer de manière importante ses efforts militaires ». Se fondant sur cette hypothèse, il a donc calculé que, dans vingt ans, les États-Unis et la Communauté européenne disposeraient chacun d'un produit national brut de quelque 8 000 milliards de dollars, suivis par la Chine et le Japon (4 000 milliards de dollars chacun), enfin par l'Union soviétique (3 000 milliards de dollars).

Quelle que soit leur valeur, ces chiffres indiquent une tendance. Mikhaïl Gorbatchev ne l'ignore pas. D'où sa patience obstinée pour multiplier les avances en direction de l'Ouest et, simultanément, accélérer la cadence des réformes à l'intérieur : limitation du mandat des

---

9. *International Herald Tribune*, 4-5 juin 1988.

dirigeants, élections à scrutin secret, autorisation de *joint-ventures*, possibilité de rapatrier des devises, etc. La portée politique des mesures économiques déjà adoptées ou encore en projet est immense. En même temps que l'appareil d'État et les structures de production, c'est la société civile elle-même qui en serait bouleversée. Un quelconque régime peut-il résister à de tels chocs, amplifiés par les revendications de type nationaliste et culturel comme en Arménie et, demain, ailleurs ?

Le lourd héritage du déficit budgétaire

Les deux géants sont pris à la gorge par les charges excessives qu'ils se sont eux-mêmes imposées. Chacun d'eux laisse volontiers à des commentateurs le soin de répondre à une question assez académique : leur interlocuteur est-il sincère ? Ils s'interrogent sur un seul point : ont-ils exactement évalué les besoins économiques qui poussent l'autre à chercher un terrain d'entente ?

Bien souvent décrits et analysés, le marasme et les scléroses de l'économie soviétique ne peuvent guère laisser de place à l'incertitude dans l'esprit des dirigeants américains. Plus délicate est, pour les responsables soviétiques, l'estimation de la santé économique des États-Unis.

Président de la Réserve fédérale, Alan Greenspan attire l'attention sur les risques d'inflation [10], que

10. « Bankers Wary of Inflation », *International Herald Tribune*, 9 juin 1988.

pourrait amplifier une nouvelle baisse du dollar : celle-ci stimule les exportations, mais, selon la fameuse courbe en J, les effets ne s'en font sentir qu'à terme, tandis qu'elle accroît immédiatement le coût des importations.

Dans le même temps, divers indices signalent un autre péril. Leur endettement extérieur met les États-Unis à la merci d'un ralentissement des flux de capitaux étrangers. Or les achats d'actions de sociétés américaines par le Japon atteignaient en 1987 une moyenne mensuelle de 2 800 millions de dollars, qui est tombée à 75 millions au premier trimestre 1988. Les achats mensuels d'obligations ont baissé de 10 000 millions de dollars en 1986 à moins de 1 000 millions de dollars cette année [11].

Jusqu'à présent, les banques centrales n'ont négligé aucun effort pour maintenir tant bien que mal le taux actuel du dollar. Mais leurs possibilités d'intervention ne sont pas infinies. Pis, sont-elles vraiment efficaces ? En effet, la dette externe des États-Unis (421 milliards de dollars en 1988) s'alourdit rapidement, et le Fonds monétaire international prévoit des « désordres sur les marchés financiers » si Washington ne résorbe pas rapidement son déficit budgétaire. Stephen Marris, qui avait annoncé le « hoquet » boursier du 17 octobre dernier, mentionnait deux dangers : une fuite de dollars en cas d'inflation, une récession en 1989.

Un sondage d'opinion révèle que le public américain s'inquiète moins d'une perte de puissance militaire que d'un déclin économique [12]. La reaganomie laisse au président Bush un très lourd héritage qui rend inéluc-

---

11. *US News and World Report*, 13 juin 1988.
12. *Ibid.*

table un allègement du budget du Pentagone. Celui-ci contrôlait en 1983 un capital investi de 475 milliards de dollars, et en 1982 il a assumé 40 % de tous les investissements industriels [13]. Depuis cette date, franchissant avec insouciance les bornes du réalisme, MM. Reagan et Weinberger ont encore accentué cette tendance nuisible à l'économie civile.

Les grandes sociétés américaines n'ont pas unanimement approuvé la formidable augmentation (+ 30 % entre 1981 et 1986) des dépenses militaires sous les deux mandats du président Reagan. Elles se précipitent maintenant vers la porte ouverte par le dialogue Est-Ouest. Ainsi, Combustion Engineering Inc. et McDermott International viennent de conclure un accord pour la construction, au coût de 20 milliards de dollars, de deux complexes pétrochimiques en Sibérie occidentale; les firmes japonaises Mitsubishi et Mitsui participent au financement. Président d'Occidental Petroleum, Armand Hammer a signé un contrat de 6 milliards de dollars pour l'installation d'une usine de matières plastiques, également en Sibérie [14].

En un an, le nombre d'entreprises américaines essayant de conclure des affaires avec l'Union soviétique a doublé : Pepsi-Cola, qui a déjà établi vingt usines dans l'« empire du mal », annonce son intention d'en ouvrir vingt-six de plus ; Honeywell aidera les Soviétiques à moderniser leur production d'engrais ; McDonald va construire vingt restaurants de hamburgers, etc. [15].

---

13. « Disarming Implications of the INF Treaty », *World Watch*, mars-avril 1988.
14. *International Herald Tribune*, 2 juin 1988.
15. *Newsweek*, 13 juin 1988.

La non-convertibilité du rouble

Toujours en quête de nouveaux débouchés, les États-Unis ont appris, ne serait-ce que par leurs fabuleuses ventes de céréales, que le marché soviétique est solvable. Deux obstacles majeurs s'ajoutent pourtant aux rigidités et lourdeurs bureaucratiques, profondément incrustées dans les mentalités et les comportements. D'abord, l'amendement Jackson-Vanik qui, depuis 1974, limite les échanges avec l'Union soviétique aussi longtemps que celle-ci n'autorisera pas l'émigration des juifs ; des progrès en ce sens ont récemment été enregistrés, mais Washington les juge insuffisants. Ensuite la non-convertibilité du rouble : pour rapatrier leurs profits, les entreprises installées en Union soviétique doivent soit acheter des produits soviétiques vendables à l'Ouest, soit exporter vers d'autres pays une part de leur propre production réalisée en Union soviétique.

Moscou a tellement besoin d'accéder aux technologies occidentales que le gouvernement s'efforce d'« intégrer son économie au système commercial mondial [16] ». A cette fin a été conclu en juin 1988 un accord entre le Conseil d'aide économique mutuelle (COMECON) et la Communauté économique européenne, ce qui marque une évolution radicale. En outre, d'ici deux ans, l'Union soviétique demandera à adhérer au GATT (Accord général sur les tarifs douaniers et le commerce), qui suppose une refonte totale du mode de calcul des prix soviétiques et une réforme du régime douanier. Des contacts ont été pris avec le Fonds

---

16. « Russia Seeks to Relax Trade Rules », *Financial Times*, 4-5 juin 1988.

monétaire international et la Banque mondiale, mais une participation soviétique reste encore très hypothétique. Ivan Ivanov, vice-président de la commission des relations commerciales avec l'étranger, a aussi évoqué la possibilité de rendre le rouble convertible, mais il ne pense pas qu'une telle mesure puisse entrer en vigueur avant la fin de ce siècle. Elle serait en tout cas précédée d'une révision des échanges monétaires avec les pays de l'Est [17]. Sans allégement des charges militaires, tous ces efforts n'auraient qu'une efficacité limitée.

Du côté américain, les réserves restent fortes. « Tout octroi de crédits et tout investissement de quelque importance ne devraient être envisagés qu'après une réduction significative des dépenses militaires soviétiques », écrit par exemple M. Brzezinski [18].

Estimant que la Maison-Blanche était trop pressée de conclure avec Moscou l'accord sur les armes stratégiques, « le Pentagone a traîné les pieds pendant six mois avant d'élaborer un document » clair sur le contrôle de la trajectoire des fusées basées au sol et sur le moyen de décompter les missiles Cruise lancés d'avion [19]. Les militaires ne peuvent pourtant pas échapper aux considérations budgétaires que le Congrès leur rappelle avec insistance. Ainsi, l'Office of Technology Assessment a porté, en juin 1988, un nouveau coup au plan reaganien de « guerre des étoiles ». Il conclut que, en dépit des 12 milliards de dollars dépensés en cinq ans « de nombreuses questions restent posées » à propos de l'efficacité du projet [20].

---

17. *Ibid.*
18. Article cité, *International Herald Tribune*, 7 juin 1988.
19. *Newsweek*, 13 juin 1988.
20. *International Herald Tribune*, 9 juin 1988.

17 millions de morts depuis 1945

S'efforçant de mieux gérer ses propres affaires, le Pentagone, avec l'appui de la Maison-Blanche, proposait pour 1988 d'augmenter de 28 % les ventes d'armes à l'étranger [21]. Utile contribution à l'équilibre de la balance commerciale... Parmi les clients, quantité de pays pauvres obligés par le Fonds monétaire de supprimer leurs subventions aux produits alimentaires de première nécessité.

Rien n'indique que, dans leurs entretiens de Moscou, les deux principaux pourvoyeurs d'armes, si épris de paix qu'ils soient, aient simplement envisagé de réduire leurs livraisons d'armes au tiers monde... Ils ont pourtant parlé des « conflits régionaux ». Sans doute les considèrent-ils comme des affrontements « mineurs » dès lors qu'ils ne se déroulent pas à leurs portes. A Washington, l'institut World Priorities a pourtant calculé qu'ils ont fait 17 millions de morts depuis 1945. Victimes inscrites dans des statistiques diluées sur quatre décennies, éparpillées sous des cieux exotiques...

Fragiles maîtres du monde, Moscou et Washington ne calculent que par grandes masses. Leurs arsenaux nucléaires représentent plus de vingt-six mille fois la puissance explosive de tous les armements utilisés pendant la Seconde Guerre mondiale. Tout cela coûte cher, beaucoup plus cher que les tueries qui ensanglantent trois continents sous-développés...

L'Institut World Priorities note dans un rapport : « Ensemble, les États-Unis et l'Union soviétique dépensent chaque jour 1,5 milliard de dollars pour leur

---

21. *Ibid.*, 3 mai 1988.

défense. » Chaque jour... Le même texte ajoute : « Les pays sous-développés dépensent quatre fois plus d'argent pour leur armement que pour la santé de leurs populations... Et pourtant, un de leurs enfants sur cinq meurt avant son cinquième anniversaire [22]. »

Pour les grands comme pour les plus petits, de telles charges sont insupportables. « Insupportables », dit le Fonds monétaire, sont aussi les déficits commerciaux et budgétaires des États-Unis. Non moins insupportables sont, pour ses populations, les retards de l'Union soviétique. L'accord Reagan-Gorbatchev sur les missiles intermédiaires (FNI) ne concerne que 3 % des arsenaux nucléaires. Sa portée est donc plus politique et psychologique que stratégique ou économique. Si les deux superpuissances veulent éviter de s'épuiser, il ne reste d'autre voie que de conclure des accords sur les forces conventionnelles en Europe et sur les missiles stratégiques. Lorsqu'il dirigeait le département d'État, M. Kissinger rêvait de ruiner l'économie soviétique par l'intensification de la course aux armements. En dépit de son avance, l'économie américaine s'y est, elle aussi, essoufflée.

Et voici M. Kissinger revenu à de meilleurs sentiments. « Au total, écrit-il avec M. Vance, nous sommes arrivés à la conclusion qu'il existe maintenant une occasion d'aboutir à une amélioration significative des relations américano-soviétiques [23]. » La revue *World-Watch* [24] a calculé qu'une réduction de 50 % des fusées stratégiques permettrait aux États-Unis d'écono-

22. Cité par James RESTON, *International Herald Tribune*, 6 juin 1988.
23. Article cité, voir note 7.
24. Article cité, voir note 13.

miser 6 milliards de dollars par an. Ce chiffre serait porté à 40 milliards en cas d'accord pour ne pas moderniser les missiles restants.

Spécialiste de la défense à l'université Harvard, William W. Kaufmann propose de son côté diverses mesures qui diminueraient de 367 milliards le budget quinquennal de 1 577 milliards proposé par Caspar Weinberger, ancien secrétaire à la Défense. Son successeur, Frank Carlucci, a lui-même avancé un projet qui réduirait de 330 milliards le budget Weinberger [25].

Fait significatif, ces chiffres sont extraits d'une étude publiée par *Foreign Affairs*, l'influente revue de l'establishment américain. Les auteurs ne mâchent pas leurs mots : « Le réarmement lancé par M. Reagan a été un incroyable gaspillage. » Ils insistent sur « le besoin urgent d'éliminer les déficits budgétaires américains ». Jugeant que l'évolution de la politique soviétique peut « offrir une chance de maintenir l'équilibre militaire à un moindre coût », ils pressent les responsables politiques américains de ne plus « accorder aux engagements budgétaires pour la défense une priorité absolue sur l'équilibre fiscal ».

De prétendus « impératifs » économiques

Forte est la tentation d'ironiser sur ce raisonnement de comptables scrupuleux qui façonnent leur vision du monde selon l'état du tiroir-caisse. Tel est bien le seul

---

25. « The Dollar and Defense of the West », *Foreign Affairs*, printemps 1988

avantage de l'économisme ambiant [26]. L'absurde et inhumaine subordination de toute la vie à de prétendus « impératifs » économiques trouverait une justification si elle aboutissait à amputer d'énormes budgets militaires qui ne sont pas sans effet sur la « crise ». Mais le plus troublant est encore que ces problèmes, posés avec un certain éclat par la rencontre Reagan-Gorbatchev à Moscou en mai 1988, n'aient pratiquement trouvé aucun écho dans la campagne électorale qui, au même moment, se déroulait en France. Triste exemple d'irréalisme politique. Et l'on s'étonne d'une poussée d'abstentionnisme ?

---

26. Cf. Paul-Marie DE LA GORCE, « Ambitions stratégiques et calculs économiques », *Le Monde diplomatique*, octobre 1986.

5

Belliqueux fantasmes

Par Paul-Marie de La Gorce

L'émission présentée, le 18 avril 1985, par FR3 sous le titre « La guerre en face »[1], n'était pas un banal épisode de la vie ordinaire de nos chaînes de télévision : c'était un événement politique, du moins dans la mesure où elle se voulait le reflet des interrogations de l'opinion publique et cherchait en même temps à peser sur elle. Les moyens mis en œuvre témoignaient, du reste, de l'ambition des auteurs : mise en scène spectaculaire, audacieux scénarios de politique-fiction, recours à des personnalités nombreuses, qualifiées, à tort ou à raison, de « spécialistes », présentation par Yves Montand, l'un des plus célèbres acteurs français, connu aussi pour ses interventions fréquentes dans le débat politique.

On ne se plaindrait certes pas que tant de moyens aient été consacrés à l'examen, sur une grande chaîne

---

1. FR3, 18 avril 1985, 20 h 30 : « La guerre en face », émission de Jean-Claude Guillebaud d'après un scénario original écrit avec Laurent Joffrin, coproduite par FR3, Channel 80, *Le Point* et Le Seuil. Avec Yves Montand.

de télévision française, des problèmes stratégiques les plus actuels et des risques de guerre s'il ne s'agissait que de cela. Mais, à l'évidence, le dessein des auteurs était tout autre : c'est une certaine mobilisation psychologique et politique qu'ils ont recherchée, une thèse qu'ils ont voulu défendre, un choix politique qu'ils ont voulu suggérer, sinon imposer, aux téléspectateurs.

Une remise en cause de la parité nucléaire

Le point de départ de l'émission est, au fond, la remise en cause de la parité nucléaire entre les deux plus grands États, c'est-à-dire de leur capacité de se détruire mutuellement une ou plusieurs fois. Les auteurs ont raison de rappeler qu'elle a été le fondement de la paix entre l'Union soviétique et les États-Unis : bien que, théoriquement, ces deux pays auraient pu se faire la guerre sans recourir à leurs armes nucléaires stratégiques, le risque de dérapage, pour eux, était si grand et les conséquences en auraient été si inconcevables qu'ils ont toujours choisi de ne jamais s'affronter directement. Il est donc tout à fait légitime de s'interroger sur ce qui peut, dans l'évolution actuelle des armes et des stratégies, remettre en cause la parité nucléaire. Malheureusement l'émission révélait aussitôt ses défauts — à moins que ce ne soit sa véritable nature.

D'abord par une accumulation d'erreurs de faits. Les auteurs citent trois crises qui auraient pu déboucher sur une guerre mondiale sans le frein décisif constitué par le risque de « destruction mutuelle assurée » : le blocus de Berlin en 1948-1949, alors que l'Union soviétique n'avait pas encore sa première bombe atomique ;

l'affaire des fusées de Cuba en 1962, où elle était encore loin d'avoir une capacité de destruction totale des États-Unis et où l'enjeu n'était pas une guerre entre les super-puissances mais le statut militaire de Cuba ; et la guerre d'octobre 1973 au Proche-Orient, où pas un instant il n'y eut un risque de conflit général, mais où la seule question était de savoir à quel seuil fixer le succès des contre-offensives israéliennes.

Mais à tant d'erreurs de faits s'ajoutent, hélas, des erreurs de raisonnement. Car s'il est vrai que l'on assiste en 1983-1985, comme à plusieurs reprises, à une tentative de remise en cause de la parité nucléaire, celle-ci subsiste et subsistera de toute façon encore long-temps, les deux plus grandes puissances continuant de s'y employer puisqu'elles multiplient leurs armes nucléaires stratégiques — bombardiers stratégiques B-1 et missiles MX pour les États-Unis, missiles SS-24, SS-25 et bombardiers Blackjack pour la Russie — et renforcent ainsi leur capacité de destruction mutuelle. Et si l'on croit, comme les auteurs de l'émission le disent pour commencer, que le maintien de la paix a été lié à celui de la parité nucléaire, alors ils devraient dénoncer les dangers de tout ce qui la menace et mon-trer l'intérêt de tout ce qui peut la garantir : mais c'est exactement le contraire qu'ils font.

A juste titre, ils présentent comme un fait nouveau de grande portée stratégique l'avènement des armes nucléaires antiforces, c'est-à-dire assez précises pour détruire à longue distance des objectifs militaires. On pouvait donc s'attendre à ce qu'ils en examinent les conséquences, en particulier la vulnérabilité nouvelle des forces conventionnelles et des infrastructures militaires à un tir préemptif des armes nucléaires antiforces, ou encore la nécessaire recherche d'une doctrine d'emploi de ces armes. Mais il n'en est pas question : pas un mot n'est dit sur leur emploi, pas un mot sur les conclusions qu'il faudrait en tirer. C'est peut-être qu'il en résulterait une critique radicale du dispositif militaire de l'OTAN et de ses choix stratégiques. En tout cas, les auteurs de l'émission se situent aussitôt dans le cadre de l'organisation militaire atlantique, de ses principes, de ses options, de sa doctrine, et ils n'en sortent pas.

Force est de dire qu'à partir de là ils cèdent à tous les fantasmes habituels à ce genre d'exercice et tournent délibérément le dos aux plus tangibles réalités. Sans le moindre esprit critique, ils partent de l'hypothèse d'une vaste offensive de blindés soviétiques se ruant sur l'Europe de l'Ouest, poussant le souci des analogies les plus contestables jusqu'à imaginer leur entrée en France par la Meuse et les Ardennes... Comme en 1940 ! Rien, absolument rien, ne suggère que le rapport entre char et armes antichars a radicalement changé depuis dix ou quinze ans, que l'expérience en a été faite sur le terrain en 1973 au Proche-Orient puis dans la guerre irako-iranienne, que les conditions seraient infiniment plus favorables à la défensive sur le théâtre européen et que la plupart des spécialistes admettent que le char n'est plus l'arme de la rupture qu'il a été naguère. Rien non plus sur le concept américain d'*AirLand Battle*, ni sur le plan Rogers, ni sur l'emploi des armes autoguidées de nouvelle génération et les contre-offensives sur toute la profondeur du théâtre d'opérations que prévoit la nouvelle doctrine de l'OTAN. Quant aux armes nucléaires tactiques de l'OTAN, l'émission ignore à la fois leur doctrine d'emploi et leurs effets probables aussi bien sur les pays européens que sur le sort de la bataille.

Le scénario imaginé par les auteurs met en cause le rôle de la France, son système de défense, ses choix politiques et stratégiques, et c'est ici peut-être qu'apparaît le mieux la véritable signification politique de l'émission. On voit d'abord le président de la République mettre immédiatement les forces conventionnelles françaises « aux ordres de l'alliance atlantique », comme si, au premier choc, on devait tout oublier de la stratégie nationale. Puis un porte-parole du ministère français de la Défense déclare que « la doctrine d'emploi de l'arme nucléaire tactique » est bien connue et qu'elle est commune à l'OTAN et à la France — ce qui est exactement le contraire de la vérité, et laisse entendre que l'on « oublie » aussi le rôle d'ultime avertissement que l'arme tactique a dans notre système de défense. Enfin, les auteurs, à aucun moment, n'admettent ou même n'envisagent que la France, atteinte dans ses intérêts vitaux, menace l'agresseur de l'emploi de ses armes nucléaires stratégiques, c'est-à-dire de destructions inacceptables pour lui et qui suffiraient à rendre son entreprise irrationnelle et inconcevable.

Tant d'omissions et d'erreurs — évidemment voulues — suggèrent que l'objectif est bien ici d'évacuer tout le système français de défense et d'en nier la validité. Et, au fond, il n'y a là rien d'autre qu'une nouvelle attaque contre la stratégie de dissuasion nationale, après tant d'autres qui l'ont précédée. Et, pour éviter toute ambiguïté, les auteurs font ici intervenir le général Coppel, le plus récent des adversaires connus de la stratégie française et qui reprend les arguments toujours utilisés depuis vingt-cinq ans par les partisans de l'abandon de toute stratégie nucléaire nationale et de l'intégration des forces françaises dans l'OTAN.

Car l'émission conduit, à chaque séquence, à la même conclusion : « l'Europe » — car il n'est évidemment plus question de défense indépendante — doit renforcer indéfiniment ses armées, qui doivent se situer, bien entendu, dans l'ensemble atlantique et sans qu'à aucun moment elle remette en cause les choix stratégiques de l'OTAN, c'est-à-dire des États-Unis.

Caractéristique à cet égard est la façon dont elle aborde le projet de système antimissiles du président Reagan. Pas un mot sur le fait que ce système, s'il est étanche, empêcherait les missiles soviétiques d'atteindre le sol américain tandis que les missiles américains pourraient continuer d'atteindre le territoire soviétique, et qu'ainsi on sortirait de la parité nucléaire. Pas un mot sur les possibilités qu'aurait la France de reconstituer sa force nucléaire stratégique de manière à contourner le système antimissiles d'un agresseur éventuel. Plus encore : il est suggéré, malgré les dangers que le projet américain comporte pour l'équilibre stratégique international et pour les intérêts nationaux de la France, que l'Europe s'y associe, sans aucune discussion sur les avantages et les inconvénients qui en résulteraient, et, simplement, nous dit-on, parce que « l'Europe doit être présente dans l'espace » — ce qui est évident mais ne passe pas nécessairement, c'est le moins qu'on puisse dire, par une adhésion à l'entreprise du président Reagan — et sans même que l'on rappelle qu'il ne peut en aucune façon s'appliquer à la défense de l'Europe, qui est à quelques minutes à peine des bases nucléaires adverses, comme à celle des États-Unis, qui ne seraient touchés qu'au bout de trente ou trente-cinq minutes.

99

A ce niveau, rien ne freine le déferlement des pro-pagandes. Elles prennent parfois un tour comique, comme cette évocation d'une future occupation de la France où les occupants parlent avec un faux accent slave et où les résistants circulent walkmans aux oreil-les et patins à roulettes aux pieds. Elles peuvent être ridicules quand elles suggèrent la manipulation des mouvements de paix en Europe par l'Union soviétique alors que chacun sait que, dans les pays concernés, le nombre des communistes est insignifiant. Elles peuvent être choquantes, pour ne pas dire davantage, quand on entend dénoncer une autre menace, celle qui viendrait du Sud par l'afflux de réfugiés ou d'immigrés en pro-venance d'Afrique du Nord ou du Proche-Orient et quand on nous recommande, pour l'éviter, d'être « fer-mes » dès maintenant...

Au vrai, si l'émission valait d'être regardée et vaut d'être rappelée, c'est qu'elle est le plus remarquable témoignage de l'esprit de guerre froide qui a soufflé sur l'Europe, imposant ses conformismes, désarmant l'esprit critique et minant les intelligences et les caractères.

6

De dispendieux scénarios non nucléaires

Par Michael Klare*

Alors que s'estompe la crainte d'une offensive généralisée des forces du pacte de Varsovie ou d'une attaque nucléaire massive de l'Union soviétique, la stratégie américaine traverse une profonde crise. Mais les changements de doctrine préconisés par certains experts conservateurs risquent de perpétuer les théories de la guerre froide.

Estimant que les principes défendus en 1980 par l'administration Reagan avaient perdu de leur crédibilité dans un monde en rapide changement, le département de la Défense et le Conseil national de sécurité ont nommé, en 1987, une commission de haut niveau qui a remis, le 10 janvier 1988, un rapport public de 69 pages intitulé « La dissuasion sélective » *(Discriminate Deterrence)*. Le rapport décrit quelques-uns des chan-

* Professeur à Hampshire College, Amherst (Massachusetts).

gements intervenus dans le paysage stratégique international et fait une série de recommandations sur la façon de modifier la stratégie américaine afin de mieux faire face aux défis militaires des années quatre-vingt-dix, et au-delà.

Un groupe de personnalités éminentes — stratèges, officiers en retraite, politiciens — en majorité conservatrices, ont participé à ce travail. Les deux coprésidents de la commission étaient Fred C. Iklé, ancien sous-secrétaire à la Défense (et numéro deux du Pentagone), et Albert Wohlsetter, ancien chercheur à la Rand Corporation et conseiller du département de la Défense pour les questions stratégiques. Autres membres éminents du groupe de travail : l'ancien secrétaire d'État Henry Kissinger, deux anciens conseillers pour les questions de sécurité nationale, Zbigniew Brzezinski et William P. Clark, les généraux Andrew J. Goodpaster et John W. Vessey, et Samuel P. Huntington, professeur à Harvard. De nombreux autres officiers et experts ont œuvré dans les divers groupes de travail.

Dans son introduction, la commission estime que « les décennies à venir seront sans doute le théâtre de profonds changements ». La Chine et le Japon vont probablement devenir des superpuissances régionales, de nouvelles technologies vont transformer les capacités de combat des principaux pays, et tout indique que le tiers monde sera victime d'une épidémie de « conflits de faible intensité ». Ces changements, indique le rapport, provoqueront une intense pression sur les États-Unis et l'OTAN, et vont requérir de nouvelles initiatives stratégiques et militaires. La stratégie globale, qui a été celle de Washington depuis quarante ans, « doit être adaptée aux réalités de notre temps ».

Le rapport souligne franchement cette nécessité de revoir la stratégie américaine à la lumière des changements intervenus sur le plan international. Mais, alors qu'une nouvelle approche aurait pu déboucher sur la prise en considération d'idées neuves concernant la sécurité nationale — au sujet des mesures de contrôle des armements et d'une « défense alternative » telle qu'elle fait l'objet de discussions en Europe occidentale —, la commission opte une fois encore en faveur de réponses prévisibles de nature conventionnelle. Elle fait de nombreuses allusions au potentiel révolutionnaire des technologies modernes, mais n'essaie en rien de répondre aux « réalités changeantes » avec de nouvelles méthodes visant à prévenir ou à résoudre les conflits internationaux.

Cette résistance à un renouvellement de la pensée est particulièrement flagrante dans la façon dont la commission aborde cette réalité nouvelle qu'est le danger croissant de conflits de faible intensité et de guerres régionales dans le tiers monde. Alors que la crainte d'un conflit global en Europe semble s'être estompée, le rapport estime que l'incidence et l'intensité des conflits extra-européens ont crû. « Ces conflits dans le tiers monde sont à l'évidence moins dangereux que ne le serait toute guerre soviéto-américaine, note le rapport, et pourtant ils ont eu et auront un effet cumulatif négatif sur l'accès des États-Unis à des régions critiques [...] et sur la confiance de l'Amérique en elle-même. » Pour ces raisons, « les États-Unis doivent être mieux préparés à traiter les conflits dans le tiers monde ».

Les conflits de faible intensité

A cette fin, suggère la commission, les États-Unis doivent se défaire de leur préoccupation concernant « les deux dangers extrêmes » qui ont dominé la pensée stratégique ces dernières années : une offensive généralisée des forces du pacte de Varsovie contre l'Europe occidentale, et une attaque nucléaire massive de l'Union soviétique contre les États-Unis. Ces menaces ne sont pas écartées, mais leur éventualité est moins grande que celle de conflits plus localisés. Cependant, la stratégie américaine continue de concevoir ses plans en termes de dangers extrêmes, amoindrissant ainsi la capacité des États-Unis à répondre aux défis ayant plus de chances de surgir ailleurs. « Mettre l'accent sur les attaques soviétiques massives conduit les planificateurs de la défense à s'affubler d'œillères », note le rapport, qui ajoute : « En mettant trop l'accent sur ces hypothèses, les planificateurs de la défense s'interdisent de tenter de s'occuper de situations nombreuses et bien plus plausibles dans lesquelles les menaces d'annihilation nucléaire ne seraient pas crédibles. »

A première vue, cette insistance mise sur ces scénarios non nucléaires, non apocalyptiques, est pleine d'intérêt. Il est certain que tout le monde bénéficierait d'une détente dans la course aux armements nucléaires entre les États-Unis et l'Union soviétique. Mais les recommandations de la commission font naître une nouvelle série de dangers. L'accent mis sur les conflits de faible intensité [1] et la création de forces d'interven-

---

1. Pour une analyse de la doctrine américaine des conflits de faible intensité, voir Michael KLARE, p. 137 à 150.

tion musclées permet d'imaginer un engagement militaire accru des Américains dans les conflits régionaux du tiers monde.

Ce risque apparaît à plusieurs reprises dans le rapport. Il y a tout d'abord la suggestion d'améliorer la capacité à intervenir dans des régions éloignées sans avoir à s'appuyer sur des bases à l'étranger. Le rapport demande aussi une augmentation de l'aide militaire américaine à des régimes amis du tiers monde, et la mise sur pied de « forces en coopération » *(cooperative forces)*, composées de détachements américains et alliés aux fins d'intervention dans des conflits régionaux. Élément plus inquiétant peut-être : le soutien vigoureux à la « doctrine Reagan », qui prévoit la création, suivie d'une aide, de mouvements rebelles anticommunistes, tels les *contras* du Nicaragua. On lit ainsi : « Les États-Unis devraient soutenir des insurrections anticommunistes » partout où « d'importants intérêts américains devraient être défendus et où un soutien américain devrait avoir des effets positifs ».

Si ces recommandations étaient bien observées, devrait s'ensuivre un engagement accru des États-Unis dans les conflits régionaux et internes en Amérique centrale, dans l'Afrique subsaharienne, dans la région du Golfe et en Asie du Sud-Est. Cette issue doit apparaître inévitable à qui connaît bien l'évolution de la stratégie américaine au cours des dernières décennies, et spécialement à la fin des années cinquante, quand certains stratèges percevaient une semblable menace dans le tiers monde. En réponse à cette menace, ils demandaient alors la constitution de forces d'intervention de ce type. En 1958, par exemple, Henry Kissinger rédigea un rapport pour le Rockefeller Brothers Fund. Il écrivait qu'il est « impératif que, en plus de notre force [nucléaire] de représailles, nous constituions des unités qui puissent intervenir rapidement et soient à même de faire sentir leur puissance avec discernement et souplesse » — un langage repris quasi mot pour mot dans le document de 1988.

Le risque des armes « intelligentes »

A l'époque, les conseils de M. Kissinger furent accueillis avec un très grand enthousiasme par les jeunes responsables qui rejoignirent l'administration Kennedy au début des années soixante. Cet enthousiasme, John Kennedy le partageait, qui ordonna au département de la Défense de préparer une augmentation massive des capacités d'intervention américaines. Le Pentagone mit l'accent sur le développement des forces et de la doctrine de « contre-insurrection » — la réponse militaire américaine aux guerres de libération. C'est ainsi que, lorsque le régime pro-américain de Ngo Dinh Diem commença à rencontrer des difficultés, Kennedy ordonna un vaste développement de l'action anti-insurrectionnelle au Vietnam du Sud.

Nul ne sait si l'histoire se répétera. Mais il est certain que le rapport de janvier 1988 a pour but de légitimer l'usage de la puissance militaire américaine dans les conflits régionaux du tiers monde, et donc de gommer le « syndrome vietnamien » — l'aversion de l'opinion à l'égard d'interventions américaines directes dans des conflits de type vietnamien. Cette aversion demeure vive, mais il est clair que de nombreux hommes politiques d'expérience — parmi lesquels des dirigeants démocrates — sympathisent avec les idées exprimées dans le rapport[2]. Et, dans la mesure où ce message prévaudra, les États-Unis se rapprocheront d'un engagement — ou d'engagement — de type vietnamien.

Le spectre d'un regain d'interventionnisme est peut-être l'aspect le plus inquiétant, mais il n'est pas le seul élément troublant. Dans presque tous les scénarios envisagés, la commission prend position en faveur d'actions militaires américaines qui impliquent des risques non négligeables d'escalade. Cela est particulièrement clair dans la section consacrée aux conflits en Europe et dans la périphérie de l'Union soviétique. Parce que les forces américaines pourraient être numériquement inférieures, il est impératif, écrit la commission, qu'elles détiennent la suprématie sur le plan des armes conventionnelles et nucléaires et qu'elles soient préparées à user de cet avantage en frappant le territoire soviétique.

L'une de ses principales recommandations est alors le développement rapide d'armes non nucléaires « intelligentes », dont le potentiel de destruction approcherait celui des armes nucléaires à faible performance. « Les armes conventionnelles intelligentes, précises, à longue portée peuvent contribuer de façon décisive à l'arrêt d'attaques soviétiques où que ce soit dans la périphérie de l'URSS », indique le rapport. De telles armes « nous conféreraient une forte chance de détruire une grande variété de cibles ponctuelles ou étendues, grâce à un ou plusieurs tirs, sans usage de têtes nucléaires ». Parmi les cibles éventuelles : les concentrations de trou-

---

2. Au sujet des vues démocrates sur la défense, lire Michael KLARE, « Les démocrates plus reaganiens que M. Ronald Reagan », *Le Monde diplomatique*, avril 1987.

pes, les postes de commandement, les aéroports militaires dans les zones profondes de l'Europe de l'Est et en Union soviétique.

La substitution d'armes conventionnelles aux armes nucléaires est certes hautement souhaitable. Mais l'utilisation d'armes « quasi nucléaires » de ce type contre le territoire de l'Union soviétique pourrait provoquer une réplique nucléaire aussi bien qu'une réplique conventionnelle, ce qui pousserait les États-Unis à répondre avec l'arme nucléaire et aboutirait ainsi à une guerre totale[3].

Il est une autre option envisagée par la commission qui provoquerait un risque d'escalade nucléaire : le lancement de contre-offensives en Europe de l'Est ou en URSS en cas d'attaque soviétique contre l'Occident. La thèse des contre-offensives en Europe de l'Est semble avoir pour auteur Samuel Huntington, qui lança l'idée dans un article publié dans *International Security*. Une idée critiquée pour plusieurs raisons. Tout d'abord, elle signifierait que l'OTAN, alliance purement défensive, se transformerait en organisation capable de lancer des offensives contre l'Est — une modification qui provoquerait sans doute des dissensions en Europe occidentale tout en donnant à Moscou une justification pour accroître sa présence militaire en Europe de l'Est.

D'autre part, mise en pratique en temps de guerre, cette stratégie paralyserait les défenses de l'OTAN sur le front central (au détriment des forces en action dans d'autres zones) et provoquerait des représailles nucléaires de la part de l'Union soviétique.

---

3. Sur ce type d'armes, lire Michael KLARE, « Des armes "quasi nucléaires" », *Le Monde diplomatique*, avril 1983.

Le rapport ne nie pas le risque d'escalade nucléaire lors de tels conflits. Toute guerre américano-soviétique, note la commission, « serait inévitablement planifiée et menée à l'ombre de la menace nucléaire ». Ainsi, « même si l'OTAN améliore très sensiblement ses défenses conventionnelles, l'alliance voudra posséder des armes nucléaires (dont des armes basées en Europe) ». Ces armes seront nécessaires pour briser une offensive ennemie grâce à des attaques « sélectives » de postes de commandement et de concentration de troupes soviétiques.

L'ultime tentative d'une vieille génération

On peut, bien sûr, se demander si une telle réplique accélérerait ou préviendrait une escalade de la guerre nucléaire. En revanche, il est parfaitement clair que de telles recommandations ne permettent pas à l'Europe d'échapper au risque nucléaire qui menace depuis longtemps le continent. Comme dans ses autres recommandations, la commission semble s'en tenir à une pensée militaire ancienne plutôt que d'envisager d'un œil neuf les problèmes de sécurité.

En un sens, le rapport constitue un effort désespéré, l'ultime tentative d'une vieille génération de stratèges conservateurs pour moderniser, et de la sorte perpétuer, la doctrine de la guerre froide dont ils sont les hérauts depuis longtemps. Ainsi que le note l'introduction, « la commission ne propose pas de remplacer » la stratégie qui a été celle de Washington pendant de nombreuses années. Cette approche interdit assurément tout changement radical ou visionnaire de la politique américaine. Finalement, la seule innovation réelle de ce rapport réside peut-être dans la reconnaissance de l'inadéquation de la stratégie américaine aux réalités de notre temps.

Les rêves brisés de la « guerre des étoiles »

Par Philip W. Anderson*

Je ne suis absolument pas expert en matière d'armements stratégiques. Mon domaine de spécialité est la physique théorique, où j'ai touché à peu près à tout sauf à la bombe atomique. Je n'ai participé à aucune recherche classifiée[1] depuis 1945 et, à l'époque, il s'agissait du radar. Pour ce qui est du laser — l'une des composantes techniques les plus importantes de l'initiative de défense stratégique (IDS) de Ronald Reagan —, la totalité de mon apport se résume à ceci : lorsque l'un des chercheurs des laboratoires Bell qui avait été à l'origine de cette découverte me demanda si je pensais qu'une version embryonnaire d'un tel système fonctionnerait, au cas où elle serait construite, je répondis : peut-être bien.

---

* Philip W. Anderson, prix Nobel de physique 1977, s'est vu décerner en 1982 la National Medal of Science. Il est titulaire de la chaire de physique Joseph Henry à l'université de Princeton. (Les notes au bas de cet article sont de la rédaction.)
1. Pour une étude des classifications du secret en France, voir l'ouvrage de Pierre PÉAN, *Secret d'État*, Paris, Fayard, 1986.

Heureusement, la plupart des problèmes scientifiques qui se posent dans toute discussion sur la « guerre des étoiles » sont extrêmement simples ; ils ne requièrent aucune connaissance spécialisée ou particulièrement technique, qui serait couverte par le secret défense. Ce qu'il faut savoir ? Que les dépenses pour mettre sur orbite une tonne de charge utile sont à peu près les mêmes pour tout le monde, et qu'il s'agit là de la majeure partie du coût de tout système spatial ; qu'un signal ne peut se propager à une vitesse supérieure à celle de la lumière ; que la masse de combustible chimique nécessaire à un système laser pour percer un bouclier est à peu près équivalente à celle du bouclier lui-même ; que les Américains ne sont pas d'une intelligence sensiblement supérieure à celle des Soviétiques. Et quelques autres vérités de bon sens... Partant de là, chacun ou presque arrive pratiquement aux mêmes conclusions.

Si l'on veut s'engager dans des types de calculs énormément détaillés sur telle ou telle configuration de système antimissiles — de nombreux adversaires de l'IDS croient que cela est nécessaire pour convaincre les plus têtus —, on s'expose à des erreurs techniques de facteur 2 ou 4 qui, aux yeux des profanes, affaiblissent toute l'argumentation. C'est là un jeu particulièrement risqué, car les partisans de la « guerre des étoiles », eux, se gardent bien de proposer des configurations particulières ou des calculs précis susceptibles d'être mis en pièces. Leurs arguments se situent dans le registre des espérances et de l'émotivité et sont présentés dans un emballage mirobolant. C'est pourquoi il est bon, je pense, que la critique de l'IDS soit faite par quelqu'un comme moi, qui a l'esprit paresseux, qui n'est pas un expert et qui n'est pas particulièrement fasciné par les détails techniques...

Les raisons pour ne pas se lancer dans la « guerre des étoiles » sont fondamentalement les mêmes que celles qui — en 1972 — nous avaient conduits, les Russes et nous, à renoncer aux missiles antimissiles et à signer le traité ABM[2]. Il est important de comprendre le raisonnement de cette époque, d'autant que sa charge émotionnelle est moins forte que celle de la « guerre des étoiles », puisqu'il appartient maintenant à l'histoire et, qui plus est, à une histoire qui ne fait plus l'objet de controverses. Pourquoi donc une défense antimissiles avait-elle été jugée inutile et, en fait, dangereuse et déstabilisatrice ? On peut donner trois arguments, chacun plus fort que le précédent : 1) cela ne marcherait probablement pas, même dans des conditions idéales ; 2) en situation de guerre, il est pratiquement certain que le dispositif ne marcherait pas. Cela nous mettrait dans la situation dangereuse et instable du cow-boy menacé qui dégaine sans savoir si son pistolet est chargé ; 3) argument le plus incontestable et le plus concluant de tous : chaque système défensif coûte inévitablement au moins dix fois plus cher que le système offensif qu'il est censé anéantir.

L'autre camp a ainsi intérêt à augmenter son arsenal offensif jusqu'au moment où, à court de moyens, le défenseur jette l'éponge. Le seul résultat de tout cela est une augmentation du volume des armements, et

---

2. Le traité sur les missiles antimissiles (*Antiballistic missiles* ou ABM), signé en 1972 par les États-Unis et l'Union soviétique, au terme des négociations dites SALT 1, limite rigoureusement l'existence des réseaux antimissiles.

donc une situation bien plus dangereuse sans aucun gain en matière de sécurité.

Mutilation de la recherche fondamentale

L'attaquant a, de toute évidence, d'énormes avantages : il peut envoyer ses missiles, préprogrammés pour atteindre leurs cibles, au moment qui lui convient, dans l'ordre et la quantité désirables, avec toutes sortes de leurres et autres systèmes de brouillage. Le défenseur doit les localiser, les identifier, se transporter dans l'espace à un moment qu'il n'a pas choisi et détruire les ogives qu'il repère avec une précision quasi parfaite. Dans le cas des ABM, il y avait d'autres difficultés, en particulier le fait que les explosions se seraient produites au-dessus du site à défendre, et que les toutes premières d'entre elles auraient sans doute déréglé l'ensemble du champ de tir ; mais les autres arguments contre étaient déjà suffisants.

Pour les gens avertis — qu'ils appartiennent ou non au département de la Défense — il s'agissait là, jusqu'en mars 1983, d'un constat de fait. Aucune percée technique n'a jusqu'à ce jour modifié les données du problème [3]. Le seul changement a été d'ordre politique et émotionnel, avec les conséquences financières qui en découlent aujourd'hui. Pour autant que l'on sache, le discours de mars 1983 du président Reagan qui

---

3. Voir Claude JULIEN, « La guerre des étoiles et la chance de l'Europe », *Le Monde diplomatique*, mai 1985, et Fabrizio TONELLO, « les zones d'ombre du défi technologique », *Le Monde diplomatique*, juillet 1986.

lança le programme de « guerre des étoiles » ne fut précédé d'aucun examen technique sérieux[4], bien au contraire : la plus récente et la plus poussée des études sur les systèmes antimissiles, réalisée pour le Pentagone, s'était révélée négative dans tous les cas de figure possibles.

Apparemment, pour son discours et pour le programme de « guerre des étoiles », le président Reagan s'inspira d'idées quelque peu saugrenues — saugrenues mais nullement secrètes ou inédites — qui, pour l'observateur scientifique extérieur, semblent mériter l'oubli dans lequel les dernières études antérieures à l'IDS les avaient reléguées. Les systèmes en question reviennent à faire payer davantage au défenseur pour chacun des missiles ennemis, sans pour autant être en mesure d'intercepter une fraction importante de ces derniers. L'appareillage défensif à envoyer dans l'espace doit avoir une masse à peu près équivalente à celle du système offensif ; dans plusieurs des projets, il doit y parvenir plus vite et il doit être beaucoup plus sophistiqué, donc plus vulnérable et plus fragile. Les composants clés doivent être maintenus indéfiniment dans l'espace, ce qui, pour l'ennemi, constitue une invite à les détruire avec des mines spatiales, le plus dangereux des mécanismes de déclenchement accidentel d'une guerre que l'on puisse imaginer.

Certains partisans de la « guerre des étoiles » me reprocheront de ne pas avoir mentionné la seule idée susceptible de résoudre le problème de la masse totale

---

4. Voir Claude JULIEN, « Le réalisme d'une droite libérale », et Eric R. ALTERMAN, « Double discours à Washington », *Le Monde diplomatique*, juillet 1986.

à mettre sur orbite. Elle consiste à faire exploser des bombes à hydrogène dans l'espace et, à l'aide de lasers, de diriger l'énergie ainsi dégagée pour détruire de nombreux missiles par bombe, c'est-à-dire, pour rester dans la même gamme de coûts, plusieurs centaines de bombes pour plusieurs milliers de missiles. Si je pensais qu'il existe une manière de faire fonctionner un projet aussi monstrueux — alors qu'il y a de très nombreuses raisons de penser qu'il ne peut marcher ou qu'il peut être neutralisé — je le prendrais davantage au sérieux. Apparemment, d'excellents travaux scientifiques, malheureusement couverts par le secret défense, ont été effectués sur ces lasers, mais personne ne semble prétendre que ce problème technique a été si peu que ce soit résolu. Par ailleurs, je ne vois pas comment des développements substantiels pourraient intervenir sur ces armements sans faire exploser — à titre expérimental — des bombes H dans l'espace, ce qui entraînerait une effroyable pollution et constituerait en même temps une violation des traités que nous avons signés.

J'ai le sentiment que ce que je viens d'exposer représente raisonnablement bien l'état de l'art sur les réalités techniques, tel qu'il est perçu par la plupart des physiciens de haut niveau avec lesquels je me suis entretenu, qu'ils appartiennent ou non à l'Université, qu'ils soient ou non engagés dans le programme de « guerre des étoiles ». Dans les départements de physique des universités américaines, qui reçoivent relativement peu de fonds du département de la Défense, une pétition a circulé affirmant que le signataire est opposé à l'initiative de défense stratégique parce qu'elle est irréalisable, et donc qu'il ne sollicitera pas de contrats de recherche qui lui soient liés ; partout où elle a été diffusée, cette pétition a recueilli un très fort pourcentage de signatures. Les universitaires qui ne signent pas considèrent avant tout qu'on ne peut s'opposer à aucune recherche, quelle qu'elle soit, tout en étant personnellement d'accord pour dire que les systèmes proposés sont impraticables et déstabilisateurs. Plus de trois mille cinq cents scientifiques ont signé ce texte, soit plus de la moitié des membres des cent universités de notre pays les plus actives dans la recherche.

Je crois important, au passage, d'expliquer pourquoi, à mon sens, l'augmentation considérable des crédits de recherche que le président Reagan a affecté à l'IDS est une très mauvaise chose pour la communauté scientifique et pour le pays tout entier. On remarquera que je parle d'*augmentation* : chaque année, avant la « guerre des étoiles », nous avons dépensé 1 milliard de dollars en recherche et développement sur les ABM. Ma conviction est que, pris dans son ensemble, le projet d'IDS contribuera à accélérer trois tendances extrêmement préoccupantes en matière de financement de la recherche aux États-Unis. Tout d'abord, nous assistons à une diminution des travaux fondamentaux au profit de la recherche finalisée et appliquée. Les agences de financement de la recherche fondamentale — National Science Foundation, Basic Energy Sciences au département de l'énergie, et les instituts nationaux de la santé — ont vu leurs crédits maintenus à leur niveau antérieur alors que, en raison des responsabilités nouvelles qui leur étaient imposées, leurs missions étaient insensiblement détournées vers les applications et l'ingénierie. En même temps, la réduction, décidée par le gouvernement fédéral, des crédits de développement dans certains secteurs civils a été plus que compensée par l'augmenta-

117

tion en volume de la recherche appliquée liée aux activités militaires.

En second lieu, la gestion scientifique des crédits fédéraux de recherche — reposant dans la plupart des cas sur le « jugement par les pairs » — cède du terrain au profit d'une microgestion effectuée par des bureaucrates ou, de plus en plus, par le Congrès, avec toutes les possibilités de favoritisme que cela implique. Les trois institutions citées plus haut ont pour règle de conduite de soumettre chaque subvention à un jury d'autres scientifiques. Comme la plupart des procédures démocratiques, ce dispositif est le pire de tous... sauf lorsque l'on examine chacun des systèmes concurrents. Ses incidences ont été étudiées à maintes reprises et il ne fait aucun doute qu'il fonctionne. La « recherche » militaire, en revanche, a toujours été conduite au gré des lubies des officiers donneurs d'ordres. Dans ce système, la motivation dominante est, très classiquement, celle de l'élargissement des pouvoirs de l'institution.

Enfin, du point de vue national cette fois, la tendance la plus dangereuse est la dépossession progressive des civils par les militaires du contrôle des crédits fédéraux de recherche et de développement. Sous l'administration Reagan, ces crédits vont à 72 % aux militaires, alors qu'ils représentaient seulement 50 % il y a dix ans. Tout le monde s'entend dire — et le Pentagone veille à cela — que les développements des systèmes d'armes ont des retombées très bénéfiques pour l'économie, mais, si tel est le cas (et je n'ai jamais pu trouver un seul économiste pour le croire), cela ne saute pas aux yeux quand on compare nos performances à celles des Japonais et des Allemands. En fait, dans un pays comme le nôtre où sévit une grave pénurie de chercheurs et d'ingénieurs confirmés — une pénurie qui serait paralysante si nos universités et nos laboratoires n'attiraient pas de très nombreux étrangers — gaspiller un précieux savoir-faire technique à la conception de matériels militaires constitue un sérieux handicap économique.

Ayant exposé toutes ces idées dans la revue hebdomadaire des étudiants de Princeton en septembre 1985 [5], j'eus l'heureuse surprise de recevoir du secrétaire d'État, George Shultz, une réponse qui fut également publiée [6]. Cela me donna l'occasion de répondre dans le détail à quelques-unes des thèses de l'administration Reagan.

1) Le programme de défense soviétique

Le secrétaire d'État réitère ses affirmations habituelles — mais quelque peu exagérées — sur l'ampleur et l'efficacité des programmes soviétiques en matière de systèmes de « guerre des étoiles ». Je lui répondis ceci:

Les intentions et l'intégrité des Soviétiques sont une chose, la question de savoir si le concept américain d'IDS est physiquement viable ou économiquement réalisable en est une autre. Nos décisions ne devraient pas être prises à partir de notre perception de ce que font les Soviétiques, d'autant qu'ils font beaucoup de choses à ne pas copier. Par exemple, le programme soviétique de vols habités, bien que plus coûteux, est d'une

---

5. « The Case Against Star Wars » *Princeton Alumni Weekly*, 28 septembre 1985.

6. George Shultz, « A Dialogue About Star Wars », *Princeton Alumni Weekly*, 26 mars 1986.

productivité scientifique inférieure au nôtre, et il ne serait pas raisonnable de l'imiter. Avant mars 1983, nous avions un programme de recherche ABM coûtant 1 milliard de dollars par an, somme équivalente à la totalité de ce que la National Science Foundation consacre à la recherche civile fondamentale et appliquée. A cette époque, la majeure partie des recherches aujourd'hui considérées comme relevant de l'IDS étaient déjà en cours. Un grand nombre d'études ont établi que ce niveau de dépenses était déjà plus que suffisant pour nous prémunir contre toute éventuelle percée soviétique.

2) *Les forces offensives soviétiques*

Le secrétaire d'État met l'accent sur le renforcement des forces offensives de l'URSS sans, bien entendu, s'étendre sur le renforcement similaire des forces américaines ni sur la renonciation à SALT 2[7], qui n'était pas, à cette époque, envisagée. Ma réponse fut la suivante :

Il est essentiel de rappeler que les deux tiers des forces de dissuasion américaines (si l'on admet que la dissuasion est bien la raison d'être de nos armements) se trouvent à bord de sous-marins ou de bombardiers et ne sont donc vulnérables ni au concept IDS d'interception dans la phase de propulsion ni à une éventuelle première frappe soviétique. Les Soviétiques, pour des raisons que l'on peut comprendre même si elles sont complexes, ont une force de dissuasion beaucoup plus

---

7. Voir Jean KLEIN, « Diplomatie des sommets et maîtrise des armements », *Le Monde diplomatique*, novembre 1986.

vulnérable. Dans ces conditions, même si je pense que M. Shultz est sincère lorsqu'il affirme que « nous ne recherchons pas un avantage unilatéral », sa position a peu de chances de convaincre les Soviétiques, ne serait-ce que parce que le secrétaire d'État ne peut engager les administrations à venir.

Refuser la militarisation de l'économie

Au passage, je crois utile d'indiquer que l'un des problèmes qui se posent réside dans le fait que la plupart des profanes ne comprennent pas vraiment les implications de l'IDS. Je veux simplement préciser ici que l'interception d'un missile dans sa phase de propulsion[8] constitue la différence essentielle avec les anciens concepts ABM. Cela signifie qu'un parapluie de « véhicules tueurs » devrait être déployé dans l'espace au-dessus d'un pays hostile pour prévenir le lancement de ses missiles. Même si l'on retient l'hypothèse qu'un tel parapluie pourrait être mis en place, il semble plus que probable que non seulement les Soviétiques, mais les autres membres du club nucléaire — la France, par exemple —, n'accepteraient pas ce contrôle absolu sur leur force stratégique (ou de dissuasion).

3) Les critères d'évaluation des systèmes défensifs

Le secrétaire d'État réaffirme que les systèmes défensifs ne seraient déployés qu'au cas où ils ne seraient pas

---

8. Sur les différentes phases du vol d'un missile intercontinental (ICBM), vers sa cible, et sur les problèmes de l'interception pendant la première phase, dite de propulsion, voir Carlos DE SA REGO et Fabrizio TONELLO, *La Guerre des étoiles*, La Découverte, Paris, 1986.

*vulnérables et seraient d'un bon rapport coût-efficacité.
Il affirme que de « nombreux scientifiques de valeur »
sont certains que des systèmes défensifs d'un bon rapport coût-efficacité pourraient être construits. Ma réponse fut la suivante :*

Je suis heureux que le secrétaire d'État ait réaffirmé quels sont les critères de déploiement, tant la communauté scientifique a vu, dans le passé, de solides arguments techniques écartés d'un revers de main à la suite de pressions politiques.

Au sujet de l'opposition des chercheurs à l'IDS, George Shultz écrit que « de nombreux scientifiques de valeur ne sont pas de cet avis ». Regardons de plus près ce que les scientifiques de valeur sont en train d'essayer de nous dire. Il n'est guère courant que 60 % des physiciens des meilleures universités des États-Unis signent une même pétition, ni de constater sur le sujet une quasi-unanimité des prix Nobel américains, ni, sur une question hautement controversée, de voir le conseil de la Société américaine de physique (y compris plusieurs de ses anciens présidents) adopter une résolution hostile à l'administration. Il est absolument extraordinaire que si peu de scientifiques de renom soient prêts à soutenir publiquement l'IDS. On peut pratiquement les compter sur les doigts d'une seule main, et, parmi eux je n'en vois aucun qui soit encore actif dans la recherche ou qui l'ait été au cours de la décennie écoulée. Même chez les scientifiques qui reçoivent des crédits de l'IDS, le soutien au projet est remarquablement mou. En privé, on est atterré d'entendre, pour toute justification, que le concept IDS est une carte utile dans une négociation, ou qu'il s'agit d'une menace susceptible d'effrayer les Soviétiques, ou bien que des crédits pour la recherche doivent être acceptés quelle qu'en soit la source.

4) Le traité ABM

Le secrétaire d'État prétend que les recherches sont menées en stricte conformité avec le traité ABM. Il qualifie, comme à l'accoutumée, l'IDS de « stratégie défensive ». Ma réponse fut la suivante :

Il existe un notable problème sémantique quand les porte-parole politiques de l'administration parlent de « défense » ou de philosophie de la « défense », alors que le véritable programme IDS, tel qu'il est décrit par Gerald Yonas, du bureau de l'IDS, ou par les rapports de l'Office d'évaluation technologique (Office of Technology Assessment) publiés par les Presses de l'université de Princeton, consiste essentiellement en un renforcement de notre « dissuasion », c'est-à-dire en une variété de défense très offensive. De nombreux aspects de l'IDS (par exemple les « véhicules tueurs » au-dessus du territoire soviétique et les défenses locales de nos sites de missiles balistiques intercontinentaux) sont de nature à paraître plus belliqueux que défensifs aux yeux des Soviétiques.

En ce qui concerne nos alliés et leur position face à l'IDS, M. Shultz revendique un soutien qui ne me paraît pas vérifié dans les circonstances présentes. Je pose une question toute simple : nos alliés ont-ils bien pris la mesure de l'idée que les États-Unis doivent se transformer en gendarmes de l'espace et sont-ils disposés à la soutenir ? Je suis heureux que M. Shultz affirme n'avoir « aucune idée préconçue » à propos de l'IDS. Mais, en évoquant ses bénéfices potentiels, il néglige ses

123

nombreux inconvénients potentiels, la militarisation de la recherche, par exemple, et, au cas où le système serait déployé, un bouleversement de notre économie. Il me semble que le plus grand danger auquel les Russes puissent nous acculer est de nous faire ressembler de plus en plus à eux, en termes de domination des militaires et d'obsession de la « sécurité », toutes choses auxquelles l'IDS nous mène directement.

Le secret de l'extraordinaire succès qu'a constitué la mise en place et la préservation de l'alliance défensive la plus puissante, la plus durable et la plus efficace de l'histoire réside dans la conscience généralisée que notre économie à dominante civile et notre société ouverte sont bien plus attirantes et bien moins menaçantes pour toute nation qui a quelque chose à perdre, que le système soviétique fondé sur le culte du secret et le militarisme. En militarisant notre économie, nous risquons de perdre cet avantage, précieux entre tous.

8

L'inexorable révision de la « philosophie des chars »

Par Antoine Sanguinetti*

En proposant à la tribune des Nations unies, le 7 décembre 1988, des réductions unilatérales dans les forces soviétiques classiques, Mikhaïl Gorbatchev a pris de court les puissances de l'OTAN. Malgré leur scepticisme, les dirigeants occidentaux reconnaissent toutefois la nécessité de nouveaux schémas stratégiques qui tiennent compte de l'effort général de désarmement.

Deux fois déjà, Mikhaïl Gorbatchev, par ses initiatives intempestives, a ébranlé la sérénité occidentale en troublant le jeu des certitudes acquises dans le camp des démocraties. La première fois, c'était en acceptant contre toute attente la proposition reaganienne d'« option zéro », en l'étendant même à une option « double zéro » que l'OTAN n'avait jamais envisagée.

* Amiral (CR).

On ne put qu'accepter, eu égard aux opinions publiques. Mais cette disparition de toutes les fusées de plus de 500 kilomètres de portée — dont les fameux SS-20, qui avaient pendant tant d'années servi de prétexte à la relance de la course aux armements — bousculait les confortables programmes occidentaux de construction de fusées et de têtes nucléaires. Heureusement, on a réussi à étouffer l'option « triple zéro », déjà envisagée par certains, qui aurait supprimé toutes les armes nucléaires tactiques, les plus nombreuses, et, par suite, d'un bon rapport. Et puis, heureusement aussi, on peut encore brandir l'argument de l'« énorme supériorité conventionnelle soviétique en Europe » pour maintenir à niveau les budgets démentiels d'armement ; et les profits correspondants d'industries, dont pratiquement toutes les branches, partout, reçoivent par ce biais leur manne de subventions, dans un « consensus » indifférent de peuples conditionnés par les « experts ».

Il est vrai que parfois quelque voix isolée clame dans le désert, dans la presse ou à l'Union de l'Europe occidentale (UEO), pour tenter de réagir : rectifier des chiffres d'effectifs, de grandes unités ou de matériels manipulés sans vergogne vers le haut pour le camp de l'Est, vers le bas pour l'Ouest ; dénoncer la vétusté manifeste de près de la moitié, parfois, des matériels de l'Armée rouge, ou les défauts reconnus de son organisation opérationnelle ou logistique ; remarquer que les retards flagrants de l'économie et de la technologie de l'Union soviétique semblent antinomiques avec la puissance militaire qu'on lui prête ; constater que cette armée, réputée la plus redoutable du monde par le jeu des propagandes, n'est en fait pas parvenue en huit ans à dominer le petit peuple afghan. Rien n'y a fait ! Le dogme inébranlable de l'« énorme supériorité conventionnelle soviétique » a continué, d'année en année, à creuser le gouffre insatiable, pas perdu au demeurant pour tous, des crédits militaires occidentaux.

La contre-attaque de l'OTAN

Tout semblait donc aller pour le mieux dans les milieux industriels, et l'on se préparait à poursuivre dans les conférences internationales la routine des propositions de désarmement déséquilibrées et piégées, et des contre-propositions aussi inacceptables. Quand soudain Mikhaïl Gorbatchev — récente initiative — est venu faire la surprise d'un cadeau de Noël empoisonné, que personne ne lui a demandé, et qui prend encore une fois l'Occident à contre-pied.

La contre-attaque de l'OTAN a été immédiate. Le 8 décembre, dès le lendemain du discours de M. Gorbatchev à l'ONU, les ministres des Affaires étrangères des seize pays de l'alliance se sont félicités des annonces du président de l'Union soviétique, mais pour souligner qu'elles ne rétabliraient pas l'équilibre quantitatif, ce à quoi elles n'avaient jamais prétendu. Suivaient les habituelles manipulations des chiffres : prise en considération d'une partie des seules forces affectées à l'OTAN, contre l'ensemble de celles de l'URSS et de ses alliés ; majoration systématique des unités et matériels soviétiques et minoration des chiffres occidentaux correspondants.

A titre d'exemple, citons l'astuce nouvelle consistant à décompter les divisions « possédant actuellement plus de 5 % de leur effectif complet du temps de guerre ».

Ce qui permet — du fait des différences de structures organisationnelles —, face aux 72 divisions occidentales d'active décomptées (sans l'Italie, le Canada, la Norvège ni le Portugal, on se demande pourquoi), d'ajouter aux 70 divisions environ de catégorie A de l'Organisation du traité de Varsovie stationnées en Europe (seules opérationnelles) les 130 autres divisions environ de catégories B et C. En fait, des divisions de réserve puisqu'elles nécessitent de trente à soixante jours, et la mobilisation de deux millions d'hommes, pour être opérationnelles.

En France aussi les experts sont montés très vite en ligne sur le front des médias pour minimiser, tout au moins, des propositions que leur caractère unilatéral empêchait de mettre en accusation. C'est le directeur français de l'Institut international d'études stratégiques de Londres (IISS) qui trouva à la radio, dès le matin du 9 décembre, la formule adéquate qui fit la « une », le jour même, de la presse du soir. Car il ne fallait pas titrer sur les chiffres trop impressionnants du discours, relégués dans le corps des articles. Mikhaïl Gorbatchev annonçait la suppression de 500 000 hommes du total des forces armées soviétiques ; celle de 10 000 chars, 8 500 systèmes d'artillerie, 800 avions de combat dans la partie européenne du territoire de l'Union soviétique et sur celui de ses alliés européens ; le retrait de 6 divisions et 2 brigades d'assaut aéroportées, avec 50 000 hommes et 5 000 chars, de RDA, Tchécoslovaquie et Hongrie. C'était beaucoup ! On préféra reprendre en titre, sur toute la largeur des pages, ce qui s'était déjà dit le matin à la radio : « M. Gorbatchev annonce une réduction de 10 % des forces militaires de l'URSS. » C'était moins impressionnant que les chiffres bruts, c'était surtout la classique déviation de la réalité.

En fait, le directeur de l'IISS était parti, à la radio, du chiffre total des forces régulières qui ouvre le chapitre « URSS » à la page 33 du dernier *Military Balance* annuel de son institut : 5 096 000 hommes. L'ennui, c'est qu'il s'agit d'un fourre-tout, comprenant les 1 476 000 hommes, *militarisés mais pas armés*, chargés par exemple des voies ferrées, d'infrastructures, de fabrications ou de défense civile. Si on les déduit, ainsi que les 400 000 hommes des forces stratégiques qui relèvent des accords FNI (forces nucléaires intermédiaires) et START (armes stratégiques), il reste donc, pour les forces armées conventionnelles proprement dites, et c'est bien de cela qu'il s'agit, une réalité de 3 200 000 hommes. C'est à partir de là qu'il faut calculer, et la réduction de 500 000 hommes annoncée atteint plus de 15 % de cette réalité, ce qui a une toute autre portée que ce que disent nos commentateurs.

L'écueil de l'Armée rouge

On pourrait pousser le raisonnement avec les 500 000 hommes de la défense aérienne, structure essentiellement défensive, qui devrait donc échapper aux réorganisations annoncées. On approcherait alors de 20 % des forces offensives. Notons que 10 000 chars en moins sur un total de 50 000, ça fait aussi 20 %. Six divisions blindées en moins, sur les 30 que l'Union soviétique stationne chez ses satellites européens, c'est toujours 20 %.

Les « experts » occidentaux ont glosé sans vergogne sur la vétusté des matériels que l'Union soviétique choisira évidemment d'envoyer à la ferraille ; cette vétusté qu'ils refusaient de prendre en considération quand on attirait leur attention dessus [1] dans ce même journal. Il est certain qu'il restera encore quelque 10 000 de ces 22 000 chars russes de 1948, sans valeur militaire réelle, pour servir de monnaie d'échange dans les négociations de réduction des forces conventionnelles qui vont succéder en 1989, à Vienne, à la conférence sur la sécurité et la coopération en Europe. L'Occident peut, sous les pressions militaro-industrielles, choisir d'y traîner les pieds. Mais il peut aussi adopter une philosophie plus constructive, à l'instar de la conférence sur les armes chimiques que Paris se prépare à accueillir — moins importante dans son objet, mais qui parlera d'interdiction et non plus seulement de réduction.

Dans les commentaires qui ont accompagné la démission du chef d'état-major des armées soviétiques, le maréchal Akhromeev, on a trop senti comme un espoir que Mikhaïl Gorbatchev échoue finalement sur l'écueil de l'Armée rouge. Il vaudrait mieux, sans aucun doute, à l'occasion de ce qui se dessine à Moscou, réfléchir, au-delà des routines de pensée et de profits, sur les changements de doctrine que les chiffres laissent présager ; et sur l'annonce par Mikhaïl Gorbatchev, à laquelle il est parfois fait allusion, mais sans commentaires, du passage de la structure offensive de l'Armée rouge à une structure plus défensive.

---

1. Voir Antoine SANGUINETTI, « L'URSS dispose-t-elle d'une supériorité en Europe ? » *Le Monde diplomatique*, octobre 1987, et notre encadré « Prophétie sans risques » *Le Monde diplomatique*, décembre 1987, p. 6.

Vulnérabilité nouvelle des blindés

Un article soviétique récent est à cet égard significatif, et aurait dû donner lieu à analyse plus constructive. Paru dans le numéro de novembre 1988 de la revue soviétique *La Vie internationale*, sous la signature de V. Chlykov et le titre « Les asymétries des blindés et la sécurité réelle », il mérite d'autant plus qu'on s'y arrête que son auteur, très documenté, a manifestement eu accès aux meilleures sources ; et que, publié dans une revue de politique étrangère, quelques jours à peine avant le discours de Mikhaïl Gorbatchev, il a peut-être valeur de message pour l'Occident. Au sortir de la guerre, où les blindés avaient régné en maîtres, les chefs soviétiques — calquant la pensée stalinienne qui a présidé, avant et pendant cette période, au développement des forces armées de l'Union soviétique — les considéraient comme une sorte d'étalon de puissance militaire. Cette « philosophie des chars » fut un moment contestée sous Khrouchtchev face au choix préférentiel de l'armée nucléaire par l'OTAN. Mais ses adeptes récupérèrent les positions perdues grâce au célèbre ouvrage *Stratégie militaire* du maréchal Sokolovski, chef d'état-major des forces armées soviétiques, paru en 1962, qui proclamait que les blindés étaient l'arme idéale d'un conflit nucléaire régional, et reléguait le nucléaire au rôle principal d'ouvrir la route à leurs percées.

Les États-Unis, face à l'accroissement débridé des forces conventionnelles soviétiques, ont préféré tabler sur une solution moins coûteuse de défense nucléaire, allant même jusqu'à réduire, entre 1968 et 1975, leurs effectifs et la production de leurs blindés. Ce faisant, ils marquaient donc clairement leur désintérêt pour ceux-ci. Et s'ils ont bien repris ultérieurement, un temps, leur production, ce n'est pas pour leurs besoins propres, qu'ils ont toujours plafonnés à 12 000 au maximum. C'est pour couvrir les nouveaux besoins de leurs alliés, européens ou israéliens, à qui la guerre du Kippour avait démontré une vulnérabilité nouvelle des blindés aux canons et aux armes antichars guidées ; et la nécessité, par conséquent, d'évaluer désormais, dans une guerre moderne, des pertes de chars très supérieures aux prévisions antérieures : 20 % au moins par mois, au lieu de 8 %.

Comme il était logique, cependant, le cumul de cette vulnérabilité avec des prix exponentiels a conduit trois des quatre occidentaux qui construisent des chars, la RFA, la Grande-Bretagne et les États-Unis, à achever leur mutation et cesser d'en produire pour eux-mêmes dans un délai de trois ou quatre ans. La seule incertitude reste de savoir qui des deux derniers fournira, à partir d'un modèle existant, une ultime commande de cinq cent quatre-vingt-dix blindés pour l'armée britannique. Seule, donc, la France continue d'étudier un nouveau char Leclerc, qui sera le plus coûteux de ses programmes prévus.

Les États-Unis, pour leur part, tablent désormais sur les nouveaux moyens antichars : armes à neutrons dont ils ont constitué des stocks chez eux à tout hasard, après le refus européen de les recevoir ; et perfectionnement des engins guidés, qui en sont à la troisième génération. Cela impose aux Soviétiques, si rien ne change, une modernisation permanente et continue de leurs blindés qui ouvrirait une nouvelle phase, ruineuse, étant donné leur nombre, de la course aux armements.

Il ne fait donc plus aucun doute que l'Union soviétique doit aujourd'hui abandonner sa politique d'asymétrie des blindés en Europe, héritée de l'influence persistante de la pensée de Staline, foncièrement prénucléaire, dans une école militaire frappée d'immobilisme comme le reste de la nation. Elle doit réviser ses conceptions dans un sens essentiellement qualitatif plus que quantitatif. La sécurité des États dépend moins aujourd'hui des stocks d'armes que de la capacité des états-majors à évoluer avec leur temps, et les chefs de l'armée soviétique en sont persuadés.

Il est évident que l'asymétrie des blindés a servi de catalyseur à la course aux armements et de prétexte commode à la prolifération des armes nucléaires en Europe. Il est également évident que les Européens ne se sentiront toujours pas en sécurité si les discussions pour réduire les forces conventionnelles aboutissent, même après l'établissement d'un équilibre entre les deux camps, au maintien sur leur continent de quelques dizaines de milliers de chars.

Éliminer les déséquilibres

En clair, conclut V. Chlykov, le traité FNI a montré la seule recette valable pour éliminer les asymétries et les déséquilibres, et rétablir une confiance. En ce sens, les discussions prochaines devraient préluder à la liquidation totale des chars des deux camps en Europe.

Et si c'était cette voie que Mikhaïl Gorbatchev, en annonçant la réduction unilatérale de 20 % du total de ses chars, était en train d'explorer ? Et si le départ du maréchal Akhromeev était simplement celui de l'homme qui, ayant conçu et programmé le changement se retirait, tâche accomplie ? Il est trop tôt pour le savoir. Mais il serait temps de ne plus laisser aux Soviétiques le monopole de l'initiative qui est le leur depuis quelques mois, et de réfléchir à des réponses plus adéquates que la seule tentative obstinée de poursuivre des programmes et des raisonnements dépassés par les événements.

III

L'autre moitié du monde

Durant la longue paix européenne qui a suivi la fin de la Seconde Guerre mondiale, cent cinquante conflits ont fait dix-sept millions de morts en Amérique latine, en Asie et en Afrique. Les deux grands se sont disputé le contrôle politique, économique et militaire du tiers monde, transformé en champ d'affrontements d'intérêts et d'idéologies qui le dépassaient. Bilan : famines, sous-développement, exode rural, saccage de l'environnement... Ultime aberration d'une logique folle, depuis plusieurs années déjà le flux des capitaux s'est inversé : le Sud finance le Nord. Peut-on vraiment envisager des lendemains prometteurs réservés aux seuls nantis, tandis que meurt l'« autre moitié du monde » ?

9

Une doctrine contestée

*Par Michael Klare**

La nouvelle administration républicaine remettra-t-elle en question son périlleux interventionnisme aux côtés des « combattants de la liberté » angolais ou nicaraguayens ? Alors que s'accélère la détente entre Moscou et Washington, la doctrine des conflits de faible intensité suscite les critiques de ceux qui s'opposent à un engagement croissant des États-Unis dans le tiers monde.

Tout en s'abstenant d'interventions militaires ouvertes, les États-Unis ont approuvé ces dernières années des actions militaires clandestines contre bon nombre de mouvements et de régimes révolutionnaires dans le tiers monde. Plus inquiétant encore, le département de la Défense a défini une nouvelle stratégie d'engagement

* Professeur à Hampshire College, Amherst (Massachusetts).

militaire dans les conflits régionaux du tiers monde : la « stratégie des conflits de faible intensité ».

Bien qu'il ne soit pas encore très répandu, le concept de « conflit de faible intensité » (CFI) est déjà une préoccupation de premier plan pour les stratèges du Pentagone. Pour les États-Unis, « le défi le plus important en matière de sécurité, écrivait en janvier 1985 le colonel James B. Motley, dans la revue théorique de l'école d'état-major de l'armée de terre, est d'améliorer leurs capacités militaires pour des conflits de faible intensité[1] ». Une opinion identique a été exprimée quelques mois plus tard par le général Wallace H. Nutting, ancien commandant en chef des forces américaines en Amérique latine et actuel commandant en chef de l'US Readiness Command (commandement interarmes des États-Unis, basé en Floride). « A mon avis, affirmait-il devant une commission du Congrès, le CFI est le problème stratégique central auquel les États-Unis sont aujourd'hui confrontés[2]. »

Discrédit de la contre-guérilla

Selon l'image du « spectre des conflits » du Pentagone, la gradation des conflits militaires dans l'échelle de la violence va des conflits classiques de faible, moyenne, puis de haute intensité jusqu'aux conflits nucléaires, d'abord limités, ensuite de théâtre, pour arriver à la guerre nucléaire intercontinentale. Le

---

1. Colonel James B. MOTLEY, « A perspective on Low-Intensity Conflict », *Military Review*, janvier 1985, p. 15.
2. Cité dans *The New York Times*, 4 mai 1985.

conflit de faible intensité correspond à un segment de ce spectre, s'étendant du terrorisme et de la violence civile à la guérilla, ainsi qu'aux escarmouches de frontière et à toutes les autres formes d'affrontements n'atteignant pas le seuil de la guerre totale entre États. Les conflits en Afghanistan, en Angola, au Cambodge, au Liban, aux Philippines et en Amérique centrale[3] relèvent de cette catégorie.

Le budget du département de la Défense pour l'année fiscale 1986 tient compte de cette préoccupation stratégique, et Caspar Weinberger, secrétaire à la Défense, demanda alors une augmentation considérable des forces américaines pouvant être affectées à ce genre de conflit. En particulier, il réclama le renforcement des unités d'intervention spéciales (Special Operation Forces ou SOF) du Pentagone : les forces spéciales de l'armée de terre (les « bérets verts »), les nageurs de combat SEAL (Sea Air Land Team) et les unités du même type du corps des « marines » et de l'armée de l'air. « La priorité élevée que nous avons attribuée aux SOF, déclara-t-il, reflète notre sentiment que les conflits de faible niveau sont la menace à laquelle nous allons le plus vraisemblablement avoir à faire face dans les années à venir[4]. »

En accompagnement de la montée en puissance des SOF, le Pentagone a entrepris un effort considérable

---

3. Sur les origines de la doctrine américaine des conflits de faible intensité, voir Michael T. KLARE, « The New U.S. Strategic Doctrine », *The Nation*, 28 décembre 1985. Voir également général Donald R. MORELLI et commandant Michael M. FERGUSON, « Low-Intensity Conflict : An Operational Perspective », *Military Review*, novembre 1984, p. 2, 16.

4. Caspar WEINBERGER, *Department* of *Defense Annual Report for Fiscal Year 1986*, Washington, 1985.

pour élaborer une stratégie et une tactique adaptées aux combats de faible niveau. Divers groupes de réflexion *(think tanks)* financés par les militaires travaillent sur cette question, et l'armée de terre a commandé une étude de grande ampleur sur les moyens de combat de tout contingent militaire américain qui pourrait être envoyé en Amérique centrale [5]. Comme aux plus beaux jours de la guerre du Vietnam, les revues militaires se remplissent d'articles sur la guerre de guérilla et de contre-guérilla.

Chez tous ceux qui ont suivi l'évolution de la stratégie militaire américaine depuis la Seconde Guerre mondiale, cette préoccupation à l'égard des conflits du tiers monde fait naître un sentiment d'inquiétude et de déjà vu. Dès le début des années soixante, le conflit de faible niveau — alors appelé « guerre limitée » ou « incendie de forêt » — était devenu un sujet de réflexion prioritaire des stratèges américains. Pour faire face à la montée des mouvements révolutionnaires de lutte armée — les « guerres de libération nationale », comme on les appelait alors —, l'administration Kennedy adopta la stratégie de la « contre-guérilla », démarche hybride combinant une tactique militaire traditionnelle et des mesures politico-économiques destinées à gagner « les cœurs et les esprits » de la population.

Le désastre vietnamien ayant jeté le discrédit sur les théories de la contre-guérilla, les dirigeants américains adoptèrent pour politique d'éviter les interventions militaires directes dans les conflits internes du tiers monde. Cette attitude — connue dans l'opinion comme le

---

5. Voir *The New York Times*, 4 mai 1985.

« syndrome du Vietnam » — se traduisit par des mesures telles que la loi sur les pouvoirs de guerre du président *(War Powers Act)*, l'amendement Clark (empêchant toute participation des États-Unis dans la guerre civile de l'Angola) et l'interdiction de toute aide militaire et politique aux régimes du tiers monde.

La Force de déploiement rapide

Pendant un certain temps, la plupart des dirigeants américains appuyèrent ces mesures et résistèrent aux tentatives d'impliquer leur pays dans les conflits régionaux. A la suite de la chute du chah d'Iran, de nombreux responsables politiques commencèrent cependant à répudier le « syndrome du Vietnam » et à réclamer la reconstitution d'une capacité militaire d'intervention. Cette nouvelle attitude devint la politique officielle du gouvernement en juin 1979 — trois mois avant la prise d'otages de Téhéran et six mois avant l'invasion de l'Afghanistan par l'Union soviétique —, lorsque le président Carter autorisa la mise sur pied de la Force de déploiement rapide et l'envoi permanent de bâtiments de guerre et d'unités du corps des marines dans la zone de l'océan Indien[6]. Le moment où cette décision fut prise est particulièrement significatif : elle précéda en effet de plusieurs mois la prise des otages et l'invasion de l'Afghanistan, alors que la plupart des Américains considèrent qu'elle en fut la conséquence.

Ainsi conçue par les responsables de l'administration,

6. Voir *The Washington Post*, 22 juin 1979, et *The New York Times*, 28 juin 1979.

la doctrine des conflits de faible intensité englobe trois types d'opérations militaires : la contre-guérilla classique, la défense « active » contre le terrorisme et le soutien aux guérillas anticommunistes dans le tiers monde. Le premier type a été initialement mis en œuvre au Vietnam et réactivé par le président Carter en 1980, lorsque les États-Unis assumèrent la responsabilité et la direction de la lutte contre la guérilla au Salvador ; les deux autres sont, dans une large mesure, des innovations de la présidence Reagan.

La contre-guérilla classique est le type d'opérations menées par les États-Unis dans la première phase du conflit vietnamien : elle combine actions militaires et opérations politiques, économiques et psychologiques en vue de neutraliser le soutien des paysans aux combattants révolutionnaires [7].

Du Salvador à l'Afghanistan

Ces méthodes sont aujourd'hui remises à l'honneur par les troupes gouvernementales salvadoriennes agissant sous direction américaine. De fait, une grande partie de ce à quoi l'on assiste actuellement au Salvador — les bombardements aériens de villages tenus par les rebelles, les projets militaires d'« action civique », les opérations de repérage et de destruction *(search and destroy)* — est directement tirée de l'expérience vietna-

---

7. Voir David GALULA, *Counterinsurgency Warfare*, Praeger, New York, 1964 ; *The Guerrilla And How to Fight Him*, sous la direction du lieutenant-colonel T.N. GREENE, Praeger, New York, 1962 ; Commandant John S. PUSTAY, *Counterinsurgency Warfare*, Free Press, New York, 1965.

mienne. Même si le Salvador demeure le principal point d'application des efforts américains en matière de contre-guérilla, le Pentagone se prépare, à toutes fins utiles, à une action massive du même type aux Philippines.

La défense « active » contre le terrorisme est la réponse de l'administration Reagan à ce qu'elle perçoit comme une flambée d'activité terroriste dans le tiers monde. A l'origine, le terrorisme était considéré comme une forme non militaire de combat ne parvenant pas au seuil du conflit de faible intensité. Après la destruction de la caserne des marines de Beyrouth, en octobre 1983, le terrorisme fut cependant redéfini comme une menace militaire à part entière contre les États-Unis, nécessitant donc, pour être neutralisée, une réplique militaire à part entière. Cette position a été exprimée dans de nombreuses déclarations de hauts responsables de l'administration et elle a été incorporée dans la directive de décision de sécurité nationale n° 138, approuvée par le président Reagan le 3 avril 1984.

Bien que le contenu de cette directive n'ait pas été rendu public, les fonctionnaires qui en ont eu connaissance affirment qu'elle préconise des mesures militaires actives, incluant des raids préventifs contre de présumés sanctuaires terroristes, ainsi que des raids de représailles contre les pays soupçonnés d'abriter des bases terroristes[8]. Ce principe sous-tend les menaces répétées de Washington de bombarder les « nids » terroristes du Liban, ainsi que l'interception de l'avion

---

8. Cf. *Los Angeles Times*, 15 avril 1984 et Robert C. McFarlane, « Deterring Terrorism », *Journal of Defense and Diplomacy*, juin 1985, pp. 7, 10.

égyptien transportant les pirates de l'*Achille-Lauro*, en octobre 1985.

La politique de soutien actif aux insurrections anticommunistes dans le tiers monde est la réponse favorite de l'administration à l'« expansionnisme » soviétique. Souvent décrite comme la « doctrine Reagan », elle implique que les États-Unis devraient passer à l'offensive et œuvrer concrètement au renversement des régimes prosoviétiques. « Pendant trop longtemps, déclarait William Schneider Jr., sous-secrétaire d'État, devant une sous-commission du Sénat en 1985, les nations libres se sont contentées de tracer des traits sur la poussière reconnaissant aux communistes leurs conquêtes et, au mieux, s'efforçant d'empêcher de nouvelles conquêtes. » Maintenant, en aidant les guérillas anticommunistes, nous devons « mettre les apprentis totalitaires sur la défensive, pour contribuer à faire entrer l'incertitude dans leurs plans impérialistes [9]. »

C'est en vertu de ce principe que l'administration aide les *contras* antisandinistes, ainsi que les forces anti-gouvernementales en Afghanistan, en Angola, au Cambodge et dans d'autres pays du tiers monde dirigés par des régimes alliés à l'Union soviétique.

Prises globalement, ces trois stratégies représentent un engagement déterminé en faveur d'un interventionnisme militaire à grande échelle. Qui plus est, que l'une d'entre elles soit mise en application, il en résultera des pressions telles qu'il sera difficile d'éviter le déclenchement des deux autres.

---

9. William SCHNEIDER Jr., déclaration devant la sous-commission des opérations à l'étranger de la commission sénatoriale du budget. Washington, 8 mai 1985. Voir également Charles KRAUTHAMMER, « The Reagan Doctrine », *The Washington Post*, 19 juillet 1985.

« Une défense active contre le terrorisme »

Assez curieusement, le principal avocat de cette nouvelle attitude n'a pas été le secrétaire à la Défense, Caspar Weinberger, longtemps considéré comme le principal « faucon » de l'entourage de Ronald Reagan, mais plutôt le secrétaire d'État George Shultz, généralement perçu comme un « modéré ».

Au cœur de la « doctrine Shultz », deux principes fondamentaux. Tout d'abord, les forces de la « démocratie » (définies de manière assez vague pour inclure tout pays ou mouvement politique allié de l'Occident) sont menacées par une offensive globale lancée par les forces du « terrorisme », c'est-à-dire par les régimes ou mouvements révolutionnaires de Cuba, de l'Iran ou de la Libye, alliés de l'Union soviétique. Ensuite, les États-Unis, en tant que chef de file des forces « démocratiques », ont non seulement la responsabilité de résister à la menace terroriste, mais aussi celle de la neutraliser en utilisant le degré de force militaire qui se révélera nécessaire.

George Shultz donne une description du terrorisme hautement politisée et sujette à caution. « Ce qui, à un moment donné, pouvait apparaître comme des actions violentes, insensées et effectuées au hasard par quelques individus dérangés, apparaît, maintenant, de manière plus claire, fit-il observer. Nous avons appris que le terrorisme est avant tout une forme de violence. Partout où il sévit, il est dirigé largement contre nous, les démocraties, contre nos valeurs les plus sacrées et contre nos intérêts stratégiques fondamentaux. » Feignant d'ignorer complètement la menace terroriste constituée par les groupes néofascistes italiens et les Escadrons de la mort en Amérique latine, George Shultz affirma que la plupart des activités terroristes proviennent des impulsions antidémocratiques de la gauche.

Pour relever ce défi, les États-Unis ne peuvent plus se permettre de rester passifs. « Nous sommes proches du moment où nous serons tout à fait prêts à dissuader les Soviétiques de livrer une guerre nucléaire totale ou d'attaquer nos principaux alliés, mais il n'est pas du tout évident que nous soyons aussi prêts et organisés pour empêcher et contrer la "zone grise" des défis intermédiaires auxquels nous avons le plus de chances d'être confrontés, les conflits de faible intensité dont le terrorisme fait partie. » Ces défis de la « zone grise », affirma George Shultz devant la Commission trilatérale, incluent le « terrorisme soutenu par l'État », qui s'est aujourd'hui transformé en une arme dirigée contre les intérêts, les valeurs et les alliés de l'Amérique. « Si nous souhaitons nous défendre contre cette arme, continua-t-il, les nations de l'Occident doivent reconnaître la nécessité d'une défense active contre le terrorisme [10]. »

Ayant ainsi légitimé l'utilisation de la force dans certaines situations de la « zone grise », George Shultz se prononce pour une réplique militaire active au terrorisme soutenu par l'État. Dans la mesure où le terrorisme « est utilisé par nos adversaires comme un instrument de guerre moderne » contre les intérêts stratégiques de l'Amérique, « nous devons être prêts à utiliser la force militaire » pour défendre ces intérêts cru-

---

10. George SHULTZ, discours prononcé devant la Commission trilatérale le 3 avril 1984 à Washington, *Current Policy*, n° 561, département d'État, Washington.

ciaux [11]. Ce principe est inscrit dans la directive de décision de sécurité nationale n° 138, et il constitue le fondement des menaces répétées des États-Unis de punir le Nicaragua s'il continue à aider les insurgés du Salvador.

La logique, qui sous-tend un autre élément important de la doctrine des conflits de faible intensité — l'aide américaine aux insurrections antisoviétiques du tiers monde —, a été énoncée pour la première fois par George Shultz en février 1985 : « Alors qu'il fut un temps où les Soviétiques pouvaient penser que tout mécontentement était susceptible de se transformer en insurrection communiste, nous voyons apparaître une nouvelle forme de lutte, celle de gens qui, partout dans le monde, risquent leur vie contre le despotisme communiste. » Cette « révolution démocratique » était, selon le secrétaire d'État, particulièrement à l'œuvre en Afghanistan, au Cambodge, en Angola et au Nicaragua, où des « combattants de la liberté » luttent contre des régimes totalitaires soutenus par Moscou. Ainsi, « alors que toute victoire du communisme était autrefois tenue pour irréversible », on peut aujourd'hui envisager avec espoir la victoire de ces « forces démocratiques » sur la tyrannie communiste [12].

Il va sans dire que les États-Unis ont la « responsabilité morale » de soutenir ces « combattants de la liberté » et de les soutenir non seulement moralement, mais aussi matériellement et même militairement.

---

11. George SHULTZ, discours du 25 octobre 1984, *Current Policy*, n° 629, département d'État, Washington.

12. George SHULTZ, discours du 22 février 1985, *Current Policy*, n° 569, département d'État, Washington.

Comment relever ici toutes les incohérences et les contradictions des thèses de George Shultz ? Pour quiconque s'est intéressé, même de manière superficielle, à l'histoire contemporaine, il devrait sauter aux yeux que bon nombre des régimes qui ont cédé la place à des guérillas de gauche — y compris ceux du Vietnam, du Nicaragua, de l'Angola et du Mozambique — n'étaient que des constructions coloniales ou des dictatures ne pouvant en rien se réclamer de la démocratie. Il est tout aussi évident que les *contras*, et beaucoup d'autres mouvements dont George Shultz se fait le champion, se sont surtout distingués par leur brutalité sanguinaire et n'ont aucun titre démocratique à faire valoir.

On ne saurait sous-estimer l'importance de la doctrine Shultz. Elle constitue le noyau dur idéologique de l'argumentation de l'administration en faveur de l'aide au *contras*, à l'UNITA de Jonas Savimbi et à d'autres guérillas anticommunistes. Elle est également invoquée pour préconiser une intervention militaire directe contre le Nicaragua, la Libye, Cuba et d'autres pays alliés de l'Union soviétique. A moins d'être remise en question, elle risque de présider à la définition de la politique étrangère américaine de la nouvelle administration de George Bush.

Malheureusement, tout porte à croire que les thèses de George Shultz disposent d'un soutien croissant dans la classe politique américaine, et en particulier au sein du Parti démocrate. A preuve certains scrutins de la Chambre des représentants, à majorité démocrate.

Le 12 juin 1985, la Chambre accepta, par deux cent quarante-huit voix contre cent quatre-vingt-quatre, de fournir une aide non militaire de 27 millions de dollars aux *contras*, revenant ainsi sur une décision antérieure qui interdisait toute forme d'aide à la guérilla antisandiniste. Cette aide, renouvelée régulièrement, fut suspendue en 1988, après que le gouvernement sandiniste s'était rallié au plan de paix du président du Costa-Rica, M. Arias.

Le 10 juillet 1985, la Chambre décida, par deux cent trente-six voix contre cent quatre-vingt-cinq, d'abroger l'amendement Clark interdisant toute aide aux rebelles antigouvernementaux en Angola. Préconisée depuis longtemps par les dirigeants républicains, cette décision fut finalement adoptée grâce au revirement de soixante démocrates. L'administration va désormais être en mesure de fournir une aide économique et militaire à l'UNITA, alliée de l'Afrique du Sud.

Un nouveau consensus en politique étrangère

Ces votes traduisent bien la popularité croissante des arguments de George Shultz parmi les dirigeants démocrates. C'est ainsi que le représentant Stephen J. Solarz a entrepris de durcir les positions de son parti : « Si les démocrates veulent regagner la confiance de l'opinion américaine, il nous faut élaborer un nouveau consensus beaucoup plus ferme en politique étrangère », déclarait-il en juin 1985[13]. Stephen J. Solarz n'est pas un inconditionnel de la doctrine Shultz — il s'oppose à l'aide militaire à l'UNITA et aux *contras* —, mais il est révélateur qu'il soit allé aussi loin dans l'adhésion à la démarche interventionniste de Ronald Reagan.

---

13. Stephen J. SOLARZ, « It's Time for Democrats to Be Tough-Minded », *The New York Times*, 20 juin 1985.

On ne saurait dire si la doctrine de George Shultz s'imposera définitivement. Même si elle dispose de forts appuis à Washington, elle suscite aussi l'opposition de tous ceux — tant dans les cercles gouvernementaux qu'à l'extérieur — qui craignent un autre désastre de type vietnamien. Mais si elle s'accompagne de mises à l'épreuve de la stratégie des conflits de faible intensité, il faut s'attendre à un engagement militaire croissant des États-Unis dans les conflits régionaux.

10

« Secrètes » interventions contre le Nicaragua

Par Bernard Cassen

Jamais, à l'intérieur d'un pays, guerre « secrète » n'aura été aussi clairement revendiquée par ses auteurs et dénoncée en détail par ses adversaires que celle que les États-Unis livrent au Nicaragua. Cette guerre se développe sur tous les fronts : politique, diplomatique, financier, économique et, bien entendu, militaire. Les forces armées de la *Contra* étant entièrement organisées et financées par leurs tuteurs américains. Tout cela a maintes fois été prouvé, mais il convient aujourd'hui de faire la chronique des développements de la politique conduite, dans cette région, sous la présidence de Ronald Reagan.

Pacification ou développement ?

Face aux énormes moyens de diffusion audiovisuelle dont dispose aux États-Unis toute parole présidentielle, le poids de l'écrit — presse ou livres — peut paraître léger. Pourtant, aux simplifications outrancières dont fut coutumière l'administration républicaine de Ronald Reagan lorsqu'il s'agissait de l'Amérique centrale, nombre d'observateurs opposent obstinément l'accumulation de faits et de preuves, qui constituent un substrat d'informations vérifiées et souvent cautionnées par des personnalités faisant autorité sur le plan moral. C'est là un pari de la rigueur contre le cynisme politicien. Un recueil d'essais de Roger Burbach et Patricia Flynn [1] analyse, par exemple, les différentes facettes de l'intervention, en accordant une attention particulière à la dimension économique que la rhétorique de Ronald Reagan occulte parfois. Au total, les 23 milliards de dollars investis directement ou indirectement par les États-Unis dans les Caraïbes et l'Amérique centrale (à l'exception de Porto Rico) représentent à peine 9 % de leurs investissements mondiaux.

C'est ce « bourbier » *(morass)*, où s'empêtre Washington, que Richard White examine dans un autre ouvrage très documenté [2]. Dans le chapitre « Les réformes comme moyen de contre-guérilla », il explique comment, au Salvador, le début de réforme agraire ne vise pas à favoriser une augmentation du niveau de vie paysan mais, selon les propres termes de Thomas O. Enders, lorsqu'il était sous-secrétaire d'État aux Affaires interaméricaines, à transformer les nouveaux propriétaires en « remparts contre le communisme ». Le résultat : lorsque de grandes exploitations, gérées de façon industrielle, sont réparties en lots individuels,

---

1. Roger BURBACH et Patricia FLYNN, *The Politics of Intervention. The United States in Central America*, Monthly Review Press, New York, 1984, 256 pages.
2. Richard Alan WHITE, *The Morass — United States Intervention in Central America*, Harper and Row, New York, 1984, 320 pages.

sans crédits, sans assistance technique, sans mécanisation, le paysan, malgré son titre de propriété, se trouve dans une situation pire que celle qu'il connaissait en tant qu'ouvrier agricole. Comme l'observe White : « Une solution à ce dilemme serait une véritable collectivisation, avec un soutien financier et technique adéquat de la part du gouvernement, pour en faire des entreprises rentables. Mais l'objectif de cette réforme agraire, inspirée des idées de contre-guérilla, est la pacification et non pas la prospérité des gens. »

Même démarche pour les réformes politiques tendant, non pas à garantir des droits démocratiques mais à « accorder une légitimité nationale et internationale » aux régimes autoritaires. Prêtre catholique qui entend également parler comme citoyen américain, Philip Berryman présente, lui aussi, de manière très étayée, les éléments du dossier centraméricain [3]. Dans son dernier chapitre, « Que faire ? », il préconise l'arrêt de tout soutien à la *Contra* et l'application des principes du groupe de Contadora, dont l'ancien sénateur et ministre colombien Apolinar Diaz-Callejas décrit la genèse [4].

La *Contra* commence d'ailleurs à être bien connue, notamment grâce à des témoignages venus de ses rangs. Dieter Eich et Carlos Rincon, dans une suite d'interviews [5], font apparaître des motivations fort différentes (pas toujours politiques) chez les antisandinistes : aux côtés d'anciens militants somozistes, on trouve

---

3. Philip BERRYMAN, *Inside Central America*, Pantheon Books, New York, 1985, 168 pages.
4. Apolinar DIAZ-CALLEJAS, *Contadora : Desafio al Imperio*, Editorial Oveja Negra, Bogota, 1985, 302 pages.
5. Dieter EICH et Carlos RINCON, *Interviews with Anti-Sandinistas*, Synthesis Publications, San Francisco, 1984, 194 pages.

aussi des jeunes en proie au mal de vivre, partis sur un coup de tête, des paysans mal informés craignant des représailles, un professionnel déçu de n'avoir pas obtenu le poste qu'il convoitait, etc. Les informations recueillies ne laissent aucun doute sur l'implantation des camps d'entraînement au Honduras, sous la tutelle de la CIA, et, ce qui donne froid dans le dos, sur les méthodes utilisées par ces « combattants de la liberté » : viols, exécutions sommaires, liquidations systématiques des prisonniers... Des témoignages de première main confirment, s'il en était besoin, ceux des victimes des exactions de la *Contra*. Ainsi le père Teofilo Cabestrero, prêtre catholique espagnol, décrit comment a été versé le « sang des innocents »[6] à Somotillo, Ocotal, Esteli, etc.

Oui mais, dira-t-on, et les droits de l'homme au Nicaragua sous le régime sandiniste lui-même ? Deux livres permettent de s'en faire une idée plus précise. Il en ressort, tout d'abord, qu'il n'est point raisonnable de mettre le Nicaragua dans le même sac que le Guatemala ou El Salvador, États dans lesquels le premier des droits, celui de ne pas être assassiné, est en permanence bafoué.

Le régime de Managua n'est pas exempt cependant de bavures. Le rapport de Americas Watch[7], observatoire de la situation des droits de l'homme dans les Amériques, indique que des mauvais traitements de prisonniers, et même quelques disparitions physiques, ont

---

6. Teofilo CABESTRERO, *Blood of the Innocent Victims of the Contras' War in Nicaragua*, Orbis Books, Maryknoll (New York), 1985, 104 pages.

7. Cynthia BROWN (ed.), *With Friends like These*, Pantheon Books, New York, 1985, 282 pages.

pu être constatés. Sur ce point, une religieuse catholique américaine, sœur Mary Hartman, qui milite, au Nicaragua, à la Commission nationale pour la promotion et la protection des droits de l'homme, rapporte : « Ce n'est pas un paradis pour les détenus. Mais nous pouvons saisir les hautes autorités, et justice est faite. Par exemple, nous avons découvert des prisonniers enfermés, sans nourriture, dans une cellule non éclairée. Nous avons soumis le cas à Tomàs Borge, le ministre de l'Intérieur, et donné les noms des gardiens responsables. Ils sont maintenant en prison. En fait, environ trois cents agents du ministère de l'Intérieur ou de l'armée sont actuellement incarcérés pour violation des droits de l'homme. Au nom de cette commission, j'ai le droit de visiter n'importe quelle prison à tout moment, sans préavis, et le droit de m'entretenir en privé avec tout prisonnier [8]. »

Le gouvernement de Ronald Reagan, qui déniait toute compétence à la Cour de La Haye [9], n'était pas prêt de reconnaître celle du Tribunal permanent des peuples, fondé par Lelio Basso, et qui, au cours des sessions qu'il a tenues sur le Nicaragua, comptait notamment dans ses rangs François Rigaux, Richard Falk, Eduardo Galeano, Georges Casalis et les prix Nobel George Wald et Adolfo Perez Esquivel. [10] L'ouvrage

---

8. Philip ZWERLING et Connie MARTIN, *Nicaragua : A New Kind of Revolution*, Lawrence Hill and Company, Westport (Connecticut), 1985, 252 pages.

9. Voir les articles de Rodolfo MATTAROLLO et Olivier RUSSBACH dans *Le Monde diplomatique* de juillet 1985.

10. Marlene DIXON (éd.), *On Trial : Reagan's War against Nicaragua*, Synthesis Publications, San Francisco, 1985, 272 pages.

tiré des auditions et des commissions d'enquête est un document très précis et très mesuré; il dresse un bilan accablant, définitif, des atteintes aux droits de l'homme dans la région et révèle un aspect bien lugubre des conséquences de la politique américaine à l'égard du Nicaragua.

11

La diplomatie soviétique à l'épreuve

Par Alain Gresh

En Afghanistan, en Namibie, au Cambodge, les négociations en cours ou les accords signés ont témoigné de la volonté des dirigeants soviétiques d'atténuer la rivalité Est-Ouest dans le tiers monde afin de se consacrer à résoudre l'immensité de leurs difficultés internes. Un tel choix inquiète certains alliés de Moscou qui craignent de faire les frais de la détente.

« Deux plateaux d'une balance : l'un symbolise le capitalisme, l'autre le socialisme. Et le poids qui fera pencher le fléau s'appelle le tiers monde. » Le professeur Mirsky, spécialiste soviétique des pays en voie de développement, se remémore, avec une certaine ironie, cette métaphore qu'il utilisait, comme une antienne, dans ses conférences. Aujourd'hui, à Moscou, cette rhétorique n'est plus de mise. Le tiers monde est loin, insaississable et peu réductible à l'affrontement Est-

Ouest ou même socialisme-capitalisme : il n'est plus l'avenir de la révolution.

Pourtant, il y a dix ans, le cours de l'histoire paraissait inéluctable : l'Union soviétique volait de victoire en victoire, et, les uns après les autres, les « bastions de l'Occident » s'effondraient : Vietnam et Indochine, Angola, Mozambique, Éthiopie, Yémen du Sud, Nicaragua. L'invasion de l'Afghanistan en 1979 n'était, suivant Alexandre de Marenches, l'ancien chef des services secrets français, que « l'avant-dernier acte d'un événement majeur de ce siècle », l'accès aux mers chaudes dont la Russie rêvait depuis Pierre le Grand [1]. Théoriciens soviétiques et apôtres de l'antisoviétisme donnaient du monde des années soixante-dix la même vision. « Durant la période de stagnation, nous en rajoutions sur nos succès extérieurs. Plus l'immobilisme prédominait à l'intérieur, plus Brejnev avait besoin de rapporter aux congrès du parti que la révolution s'étendait impétueusement dans le monde, que de nouveaux pays rejoignaient la grande famille du socialisme », explique M. Mirsky.

« Un acte purement médiéval »

L'évidence n'avait aveuglé aucun expert : l'Union soviétique avait déjà perdu la bataille dans le tiers monde sur le terrain de l'économie. Le bilan des expériences de développement des pays à orientation socialiste se révélait catastrophique. Le Vietnam connaissait

---

1. Christine OCKRENT, Alexandre DE MARENCHES, *Dans le secret des princes*, Stock, Paris, 1987.

une hémorragie humaine due en grande partie à une faillite économique. L'Éthiopie, l'Angola et le Mozambique ne réussissaient pas mieux, et même plus mal, que leurs voisins. Le Nicaragua s'enfonçait dans une situation désespérée... Certes on pouvait invoquer les trop réelles agressions extérieures, mais l'argument n'épuisait pas la question.

De plus, l'Union soviétique ployait sous l'énorme fardeau de l'aide à ses alliés. « Au milieu des années quatre-vingt, notent deux chercheurs soviétiques, le montant de cette aide [économique et militaire] accordée aux pays en voie de développement (y compris le Vietnam et Cuba) s'élevait pour l'URSS à 1,4 % de son PNB contre 0,3 % pour les États-Unis[2]. » Et avec de bien piètres résultats qui faisaient préconiser à nos deux auteurs la création d'« une organisation [des pays socialistes] ayant des fonctions analogues à celles du FMI » et qui aideraient nos « alliés » à « promouvoir des réformes élevant leur vitalité économique ».

Le temps est loin des années soixante où Moscou offrait aux pays du Sud un modèle de développement clés en main. Le haut barrage d'Assouan, les usines métallurgiques géantes en Égypte ou en Inde, les grands projets, semblaient les meilleurs propagandistes d'un régime qui lançait en 1957 le premier satellite dans l'espace et annonçait qu'il rattraperait les États-Unis

---

2. Alexeï IZIOUMOV, Andreï KORTOUNOV, « L'Union soviétique dans un monde qui change », *La Vie internationale* (revue éditée par le ministère des Affaires étrangères soviétiques), n° 8, 1988. Cette évaluation est corroborée par des études américaines qui estimaient le coût du « maintien des empires » soviétique et américain dans le tiers monde à, respectivement, 25 milliards de dollars et 11 milliards de dollars, soit 1,3 % et 0,3 % de leur PNB. Voir *The Future of the Soviet Empire* (sous la direction de Henry S. ROWEN et Charles WOLF Jr.), St Martin's Press, New York, 1987, p. 138.

dans les années quatre-vingt. Pour des dizaines de millions d'hommes du Sud, l'Union soviétique était une immense espérance. Comme pour ce cinéaste mis en scène par Youssef Chahine dans son film *La Mémoire* et qui, méprisé par Hollywood, rencontre le succès au Festival de Moscou : là se trouve le « nouveau monde ».

Face à la crise du tiers monde des années soixante-dix, l'Union soviétique, elle-même affaiblie, doutant de ses propres valeurs, se révèle bien impuissante. Elle tente de remplacer les espoirs déçus d'hier par une présence militaire plus active. Éphémères sont les succès. Washington décrète que « la détente est indivisible », et l'invasion de l'Afghanistan sert de prétexte à un formidable réarmement occidental. « L'acte même de l'introduction des troupes en Afghanistan en 1979 a soudain révélé, sur la toile de fond de la nouvelle évolution mondiale, son caractère rudimentaire. Ce fut là un acte purement médiéval [3] », constatent les Soviétiques, qui prônent aujourd'hui une entente entre les deux grands pour résoudre les conflits locaux, pour laisser le tiers monde à l'écart de leur rivalité.

Mais les esprits forts ne se laisseront pas prendre à cette nouvelle ruse d'un communisme intrinsèquement pervers. « La "nouvelle pensée politique" de Gorbatchev est une stratégie de repli temporaire [...]. C'est le fameux "pas en arrière" de Lénine, permettant par la suite d'en faire "deux en avant [4]" », écrit le soviétologue Michel Heller.

---

3. Alexandre PROKHANOV, « Afghanistan », *La Vie internationale*, n° 8, 1988.

4. Michel HELLER, *Soixante-dix ans qui ébranlèrent le monde*, Calmann-Lévy, Paris, 1988, p. 148-149.

La thèse est ancienne. Définissant les principes qui guident la politique soviétique, un jeune diplomate anonyme, M. X..., écrivait dans le numéro de juillet 1947 de *Foreign Affairs* : « Le premier de ces concepts est l'antagonisme inné entre le capitalisme et le socialisme. [Il] plonge dans les fondations mêmes du pouvoir soviétique et a des implications profondes en ce qui concerne le comportement de la Russie dans la société internationale. Il signifie qu'il ne peut y avoir pour Moscou de communauté de but entre l'Union soviétique et les puissances considérées comme capitalistes. » George F. Kennan, futur ambassadeur auprès du Kremlin, jetait, dans ce texte fameux, les bases théoriques de la politique de *containment* — endiguement du communisme — et de la guerre froide qui allait briser en deux le monde.

Si les conclusions qu'il tirait étaient bien évidemment récusées par Moscou, aucun dirigeant communiste n'en aurait contesté les prémisses : une lutte à mort oppose le système capitaliste et le système socialiste. Même durant la détente, Khrouchtchev restait convaincu de la « victoire finale » : « Nous serons présents à vos funérailles », lançait-il, triomphant, au capitalisme international.

On comprend que la remise en cause de ce postulat, inscrit profondément dans la pensée léniniste, ait suscité dans le parti communiste soviétique un débat houleux. Sur aucun autre thème depuis 1985 l'affrontement au sein d'un Bureau politique prétendument homogène n'a été aussi ouvert. Durant tout l'été 1987, MM. Chevardnadze, Ligatchev, Yakovlev, membres de premier plan de cette instance, ont publiquement polémiqué [5].

L'enjeu : qu'est-ce qui a le primat dans l'évolution de la situation mondiale ? La lutte de classes entre les deux systèmes ou, au contraire, les valeurs communes à toute l'humanité. Dans le premier cas, l'Union soviétique vit une simple pause avant un nouveau bond en avant ; dans le second, la survie de l'humanité — face aux menaces nucléaire et écologique, en particulier — est prioritaire et « les désaccords idéologiques [doivent être] exclus de la politique extérieure et de la diplomatie [6]. » Cette dernière thèse l'a finalement emporté, et ses plus chauds partisans, MM. Chevardnadze et Yakovlev, contrôlent aujourd'hui et le ministère des Affaires étrangères et le département de politique internationale du PC.

« La biosphère se joue des blocs »

« Ce qui meurt ici, confie un responsable, c'est une vision du monde dans laquelle une partie de l'humanité doit liquider l'autre. » Comme l'écrit très justement Lilly Marcou, Mikhaïl Gorbatchev jette les « bases d'une autre *Weltanschaung* [7] », d'une autre vision du

---

5. On trouvera les principaux extraits de cette polémique, dont la *Pravda* s'est fait l'écho dans *France-URSS Magazine*, octobre 1988. Voir aussi l'intervention de M. Chevardnadze à l'Assemblée générale des Nations unies, *Pravda*, 28 septembre 1988. Enfin, pour une « vision de l'intérieur », lire le compte rendu de la conférence des cadres du ministère des Affaires étrangères de l'URSS du 25 juillet 1988 dans *La Vie internationale*, n° 10 et n° 11, 1988.

6. Discours de Chevardnadze, *op. cit.*

7. Lilly Marcou, *Les Défis de Gorbatchev*, Plon, Paris, 1988, p. 35.

monde, porteuse de désarmement et de lutte commune contre les dangers qui menacent la planète à l'Est comme à l'Ouest — « la biosphère se joue des blocs » (M. Chevardnadze). Et à rencontrer ces dizaines de cadres qui peuplent instituts de recherche et ministères, on est frappé par leur fascination pour l'Occident, ses idées, sa culture et même son modèle de développement, un phénomène qui marque l'échec complet de la tentative stalinienne autarcique et xénophobe [8]. Dans ce contexte, insiste le professeur Mirsky, « il faut reconnaître que le tiers monde est un monde indépendant qui a le droit de ne se lier à personne ». Et les conflits locaux ne sont pas forcément des « jeux à somme nulle », où la défaite d'un grand signifie la victoire de l'autre. Alors, suivant la formule christique de M. Chevardnadze aux Nations unies, le règlement afghan apporte aux autres régions du monde « une bonne nouvelle ». Il peut prouver son utilité « dans une autre situation, dans un autre endroit. Par exemple, au Kampuchea (...) [la voie pour aboutir au règlement] suppose l'entente entre les forces extérieures impliquées dans le conflit et, d'autre part, crée une base pour une entente avec les forces intérieures. Ce sont notamment la réconciliation nationale et la formation d'un gouvernement de coalition [9]. »

---

8. Voir sur ce thème le remarquable travail de Jerry HOUGH, *Russia and the West*, Simon & Schuster, New York, 1988.

9. Entretien de l'académicien Primakov, président de l'Institut des relations internationales et de l'économie mondiale avec la *Pravda*, 8 octobre 1988, réalisé à la suite d'une rencontre internationale « Asie-Pacifique : dialogue, paix, coopération » à Vladivostok.

L'exemple de l'Afghanistan

Le principe de base retenu peut se résumer ainsi : prendre en compte les intérêts de toutes les parties. Au Proche-Orient, rappelle Mikhaïl Gorbatchev dans son livre *Perestroïka*, nous n'avons pas « l'intention de pousser du coude les États-Unis [...], ce serait tout bonnement irréaliste. Mais les États-Unis, de leur côté, ne devraient pas non plus viser des objectifs irréalistes ». Et, si Israël doit reconnaître les droits nationaux des Palestiniens, il faut que l'OLP entérine l'existence de l'État juif et accepte la résolution 242 du Conseil de sécurité des Nations unies.

« C'est l'exemple de l'Afghanistan qui a été en partie à l'origine des négociations sur la Namibie », confirme le Dr Leonid L. Fituni, chef de la division de gestion des crises à l'Institut des études africaines, qui fait preuve d'un bel optimisme conforté selon lui par la bonne volonté des diplomates américains. Peut-être aussi par la bonne volonté dont l'Union soviétique elle-même fait preuve : « L'UNITA et le gouvernement devront aboutir à un *modus vivendi*, affirme M. Borissov, de l'agence de presse Novosti. Luanda pense trouver une solution militaire, mais, en fin de compte, il faudra bien imaginer un accord politique. »

Grandioses projets sibériens

Andreï S. Pokrovski, responsable des pays d'Afrique australe à l'Institut des études africaines, surenchérit : « Le gouvernement de l'Afrique du Sud et l'ANC comprennent qu'ils doivent chercher une solution au problème de l'*apartheid*. Les conditions sont en train de mûrir pour l'ouverture de pourparlers bien qu'il n'y ait unité ni chez les Noirs ni chez les Blancs. Quand Botha entame des réformes, il se heurte à l'opposition des extrémistes. Les deux côtés doivent être prêts à faire des concessions. Le problème de la liberté de la population noire ne peut être résolu d'un seul coup, il faut des étapes. »

Certes, chacun des conflits locaux qui embrasent la planète a sa propre dynamique. L'Union soviétique n'est pas impliquée avec la même intensité dans chacun d'eux, et tous ne la concernent pas au même degré. Elle regarde avant tout ses frontières, là où sa sécurité peut être menacée. La décision du retrait d'Afghanistan a représenté le geste spectaculaire indispensable pour faire passer en Occident le message gorbatchévien ; néanmoins, l'avenir inquiète l'Union soviétique, qui tente désespérément de trouver un règlement qui stabiliserait le pays.

La résolution du drame cambodgien est la condition du rapprochement avec Pékin. Mais, surtout, elle s'inscrit dans la mise en chantier de grandioses projets en Sibérie. En août 1987, le Conseil des ministres de l'Union soviétique a adopté un programme de développement prioritaire de la Sibérie et de l'Extrême-Orient qui représentent près des deux tiers du territoire soviétique : d'ici à l'an 2000, 232 milliards de roubles seront affectés à la région dont la production marchande doit être multipliée par 2,4-2,5, la production d'électricité par 2,6, l'extraction du pétrole par 3,1-3,8, celle de gaz par 7,2-9,3 [10]. Ce rêve sibérien est indissociable d'une

---

10. Abel AGANBEGUIAN, « Redéploiement vers l'est », *Asie et Afrique aujourd'hui*, Moscou, n° 4, 1988.

intégration régionale ; il est rattaché à « l'extension des contacts économiques extérieurs [...]. Ce territoire doit même participer à la division internationale du travail de l'ensemble de la région non seulement en tant que partie de l'Union soviétique, mais aussi de façon autonome, au moyen du commerce frontalier et de la création d'entreprises mixtes [11] ».

On parle même de rendre à l'Extrême-Orient son statut de république qu'il a eu dans les années vingt et d'accélérer l'installation de l'indispensable main-d'œuvre étrangère : travailleurs vietnamiens et chinois sont déjà sur place. Tout ce projet commande les ouvertures de Mikhaïl Gorbatchev : par deux fois, en juillet 1986, à Vladivostok, puis en septembre 1988, à Krasnoïarsk, il a formulé des propositions visant à diminuer les tensions dans le Pacifique et à favoriser la coopération. Le savant russe Lomonossov écrivait au XVIIIᵉ siècle : « C'est grâce à la Sibérie que grandira la puissance de la Russie. »

Dans les contrées plus lointaines, la tendance au désengagement est forte et coïncide d'ailleurs avec un amoindrissement du rôle des militaires dans la prise de décision politique [12]. L'objectif prioritaire est d'éviter que les conflits ne dégénèrent en une confrontation avec Washington qui mettrait en péril la « reconstruction » économique, l'accès aux technologies et aux crédits occidentaux.

Cet *aggiornamento*, qui devrait contribuer à freiner la militarisation du tiers monde, préoccupe néanmoins

---

11. Entretien de l'académicien Primakov, *op. cit.*
12. F. Stephen LARRABEE, « Gorbatchev and the Soviet Military », *Foreign Affairs*, vol. 66, n° 5, été 1988.

certains de ses dirigeants : ils craignent de faire les frais d'une entente entre les deux grands qui aboutirait à la marginalisation du Sud laissé à ses guerres de religion et à son naufrage économique. Le journal libyen *Al Jamahiriya*, sous le titre évocateur « Un coup de poignard dans le dos », exprime sa « surprise » à l'égard de la reprise de relations entre les pays socialistes et Israël. « Quel bénéfice y a-t-il pour les camarades des pays socialistes à ignorer les sentiments et la volonté de deux cents millions d'Arabes [13] ? »

A la fin du mois d'octobre 1988, M. Khatchatourov, vice-président de l'agence de presse Novosti, et qui effectuait avec une délégation soviétique une tournée en Afrique australe, rejette la théorie du « tout ou rien » dans la lutte contre l'*apartheid* et entérine les rencontres entre des dirigeants africains et M. Botha [14]. Il s'attire une réponse cinglante d'un éditorialiste du journal zimbabwéen *The Herald* : « Il semble que la position de l'Union soviétique ne coïncide plus avec celle de l'Afrique sur l'isolement de l'Afrique du Sud. [...] Pour le bien de la "paix mondiale", l'Afrique devrait capituler devant un *apartheid* réformé. Notre éminent collègue semble oublier que le régime de l'*apartheid* refuse d'abandonner le racisme ou d'accepter le principe "un homme = une voix [15]" ».

---

13. Agence de presse Jana en arabe, cité par *Service of World Broadcast*, BBC, Londres, 20 septembre 1988.
14. *Sunday Mail*, Harare, 23 octobre.
15. *The Herald*, 27 octobre 1988. Dans *Les Nouvelles de Moscou*, (16 novembre 1988), M. Khatchatourov conteste l'interprétation de ses propos et confirme « la position soviétique vis-à-vis du régime raciste illégitime ». Il ne dément pas toutefois ses déclarations sur la tournée de M. Botha en Afrique.

De l'Arabie Saoudite à la Corée du Sud

Cette inquiétude a gagné les pays à orientation socialiste qui sous Brejnev symbolisaient l'irrésistible avancée des révolutions du Yémen démocratique à l'Éthiopie. On comprend ce désarroi que résumait avec humour un expert soviétique : « Nous leur prêchons aujourd'hui de rendre la terre aux paysans, de laisser le champ libre au petit commerce, de privatiser une partie de l'économie, de demander des crédits à l'Ouest. Et ils nous rétorquent : Mais, alors, pourquoi avons-nous conquis le pouvoir ? » Pourtant cette argumentation n'ébranle pas les Soviétiques, qui notent, désabusés, les faibles performances — politiques ou économiques — de certains de leurs protégés. A une question sur le « défi » que représentait pour Moscou le formidable essor de la Corée du Sud, M. Chirokov, vice-président de l'Institut d'Orient, répondit avec un sourire en coin : « A nous ? Non. A la Corée du Nord, oui. »

Certes, l'Union soviétique n'abandonnera pas ses alliés — elle persévère dans son soutien politique et militaire au Congrès national africain ou à l'Organisation de libération de la Palestine, même si elle leur prêche la modération — et ne renoncera pas à son statut de grande puissance, mais, ajoute-t-on à Moscou, « le socialisme ne peut et ne doit pas être garant des régimes qui ne reposent pas sur une large base sociale et sont incapables de se défendre [16] ». Les percées réalisées dans les relations avec le Brésil, l'Argentine, l'Égypte, l'Arabie Saoudite — avec laquelle devraient

---

16. « L'Union soviétique dans un monde qui change », *op. cit.*

être rétablies des relations diplomatiques dans les prochains mois — et même avec la Corée du Sud sont largement suffisantes pour compenser la grogne des pays et des mouvements amis.

« A notre époque, la guerre n'est rien d'autre qu'amusette d'imbéciles. Annexer une colonie, et puis une autre, quelle sotte vanité de l'espace ! Mille verstes de plus, la belle affaire ! Nous ne savons déjà pas quoi faire de celles que nous possédons [17] », rappelle un des personnages de *La Mort du Vazir-Moukhtar*, un flamboyant roman qui met en scène Alexandre Griboïedov, figure phare, avec Pouchkine, du romantisme, diplomate assassiné à Téhéran en 1829 au cours d'émeutes antirusses. Les dirigeants soviétiques ont compris que la puissance ne se résume pas à la force militaire ni même à l'étendue des territoires. Mais l'économie — au sens originel, « administrer sa propre maison » — qui les fascine et les préoccupe aujourd'hui, suffira-t-elle, seule, à redonner à leur pays le rayonnement auquel ils aspirent ?

---

17. Iouri TYNIANOV, *La Mort du Vazir-Moukhtar*, Folio, Paris, 1969, (le roman a été rédigé entre 1930 et 1932), p. 53.

12

Des peuples à la dérive

Par Ignacio Ramonet

L'après-guerre paraissait ne devoir jamais se terminer. Et voilà qu'on annonce enfin le début d'un nouvel âge de l'histoire contemporaine. Il se serait ouvert en décembre 1987 avec la signature du traité américano-soviétique sur les armes à moyenne portée. Dans le sillage de cette heureuse nouvelle, des négociations semblent devoir mettre fin à des conflits régionaux vieux parfois de plusieurs décennies [1]. Brusquement, la planète serait saisie par une sorte de virus de la paix. Se répand aussitôt une fièvre d'optimisme, que conforte, à l'Ouest, une soudaine et radieuse euphorie économique. Assisterait-on à la fin de la « crise » ?

La dynamique propre des conflits

« La croissance de l'économie mondiale durant le premier semestre de 1988 semble avoir été plus rapide

---

1. Cf. *supra*, Claude JULIEN, « Le prix des armes », p. 79-93, et « Ambition », *Le Monde diplomatique*, septembre 1988.

qu'on le pensait, indique un rapport de l'OCDE et la reprise en cours, commencée en 1983, est la plus longue qui ait été enregistrée depuis la Seconde Guerre mondiale[2]. » Les experts du Fonds monétaire international corrigent aussi leurs propres estimations ; ils affirment maintenant, avec autant de certitude qu'en avril dernier, que, pour 1988 et 1989, la croissance des pays industrialisés dépassera le taux qu'ils avaient eux-mêmes prévu (3,8 % au lieu de 2,8 %)[3].

Situation d'autant plus réjouissante qu'elle est inattendue : prophètes de malheur, de nombreux économistes n'avaient-ils pas annoncé — après le hoquet boursier d'octobre 1987 — une inéluctable récession ?

En quelques mois, et comme par magie, le monde aurait atteint ces deux objectifs impensables, que les hommes politiques, dans leurs rêves les plus flous, n'osent même pas promettre à leurs peuples : la paix et la croissance. Ces deux rails qui, tout droit, mènent les nations au bonheur.

Osera-t-on rompre l'harmonie de cet idyllique tableau en rappelant certaines nouvelles qui occupent également les grands médias ? Car, si quelques guerres paraissent en voie de règlement, d'autres, plus nombreuses encore, se poursuivent au Liban, dans les territoires occupés par Israël, au Salvador, au Nicaragua, en Éthiopie, au Soudan, au Pérou, dans le Kurdistan... avec leur long cortège de morts et de destructions. Avec, aussi, le risque de raviver inopinément les tensions internationales. Car la plupart de ces conflits — même ceux que Soviétiques

---

2. Rapport annuel sur *Les Perspectives de l'emploi*, OCDE, Paris, 23 septembre 1988.
3. *World Economic Outlook*, FMI, Washington, 20 septembre 1988.

et Américains, en se servant des Nations unies, ont accepté de régler — possèdent leur propre dynamique et leurs raisons internes, souvent enracinées dans la profondeur de l'histoire.

En outre, de nouveaux foyers apparaissent. L'impulsion donnée par Mikhaïl Gorbatchev à la politique étrangère de son pays a indéniablement favorisé les règlements en cours, mais ses réformes internes font naître en Union soviétique des crispations fortes qui trouvent dans le nationalisme un périlleux terrain d'expression. Jusqu'à quel point l'agitation dans le Caucase ainsi que dans les républiques baltes affaiblit-elle Mikhaïl Gorbatchev [4] ?

On peut supposer aussi que les établissements militaro-industriels, de part et d'autre, n'acceptent pas de bon gré l'idée de perdre d'avantageux chantiers et feraient obstacle au progrès de la paix. C'est dire si celle-ci est fragile.

Les exclus de la croissance

La croissance ne l'est pas moins. Comment pourrait-elle être assurée au Nord quand la plupart des pays du Sud, étranglés par leur dette et par les politiques d'ajustement du FMI, ne sont plus en mesure d'importer ? Que deviendrait-elle dans les pays industrialisés, si le nouveau président des États-Unis, M. Bush, décidait — ce qui est fort improbable — de s'attaquer aux grands spectres de l'économie américaine et de combler les

---

4. Cf. la mise en garde de Henry Kissinger dans son article « A Memo to the Next President », *Newsweek*, 19 septembre 1988.

gouffres des déficits budgétaire et commercial? En attendant, l'économie mondiale continuera de reposer sur un géant aux pieds d'argile et restera sous la menace d'un nouveau krach boursier aussi inéluctable que celui d'octobre 1987.

Parler de « croissance » dans un monde devenu interdépendant paraît d'autant plus impudent et incongru que les conditions de vie des deux tiers de l'humanité se dégradent chaque jour davantage.

Dans sa guerre contre la pauvreté, comme la victoire du tiers monde semble lointaine ! La Banque interaméricaine de développement, qui n'a pas vocation à encourager la subversion, reconnaît qu'en Amérique latine « le PIB par habitant — un indicateur clef du bien-être social — a été, en 1987, inférieur au niveau de 1980 dans la plupart des pays [5] ». Assombrissant encore le tableau, Rainer Steckhan, directeur de la Banque mondiale, affirme que l'Amérique centrale traverse aujourd'hui « la pire crise économique depuis le début de ce siècle [6] ».

Quant à l'Afrique noire, véritable naufragée du développement, 70 % de sa population ne connaissent que le sous-emploi, et elle comptera, à la fin du siècle, 284 millions de chômeurs [7]. Tous ces exclus de la « croissance » rendent celle-ci bien précaire.

De surcroît, et malgré leur grandissante pauvreté, les États du tiers monde ont continué de transférer vers les pays riches plus de capitaux qu'ils n'en ont reçu d'eux.

---

5. *Rapport annuel*, Banque interaméricaine de développement, Washington, 1988.
6. *Le Figaro*, 28 juillet 1988.
7. *Les Afriques de l'an 2000*, La Documentation française, Paris, 1988.

En 1987, ils ont injecté 30 milliards de dollars dans l'économie du Nord. La Banque mondiale a elle-même bénéficié — en contradiction avec son objectif fondateur — de « transferts nets négatifs » en provenance de pays très endettés. Le Brésil a payé 600 millions de dollars de plus qu'il n'a reçu d'elle, l'Égypte 109 millions... [8].

Euphorie ? Détente ? D'autres conflits internes, venant sans aucune discrétion troubler la nouvelle harmonie, ont éclaté ces dernières semaines dans plusieurs endroits de ce petit village planétaire. En Haïti, en Irak, en Birmanie, au Chili, en Pologne, des citoyens continuent de combattre et de souffrir pour cette idée toujours neuve qu'est la démocratie.

La démocratie, l'affaire de tous

A ceux qu'assoupiraient la « paix » et la « croissance » actuelles, ces autres guerres rappellent que la sécurité n'est pas seulement — dans un monde devenu complexe — un concept militaire, qu'elle est également économique, écologique, sociale et même socioculturelle. Il ne peut y avoir de véritable sécurité que si le modèle de développement imposé par le Nord (Est et Ouest confondus) est remis en cause. Alors cesseront peut-être la destruction de l'environnement, l'inversion des flux de capitaux, la dilapidation des ressources dans la course aux armements, la prolifération des mœurs affairistes et corrompues, l'accroissement de l'analphabétisme...

La planète est trop petite, trop exposée, et la démocratie est l'affaire de tous.

---

8. *Rapport annuel*, Banque mondiale, Washington, 19 septembre 1988.

13

Logique financière

*Par Frédéric F. Clairmonte
et John Cavanagh**

En 1988, le flux net de capitaux du Sud vers le Nord s'est élevé, suivant la Banque mondiale, à 43 milliards de dollars. Et la dette du tiers monde, qui se monte à 1 300 milliards de dollars, continue de freiner le développement de l'ensemble de la planète. Elle menace même de mettre à bas le système financier né de la Seconde Guerre mondiale.

Quand on évoque la situation économique dramatique dans laquelle se trouvent de nombreux pays en voie de développement, il est un événement qui, malgré ses conséquences directes, retient rarement l'attention : après quatre ans de déficits croissants de leur compte courant (épongés par l'épargne des pays riches et des

* Avec la collaboration de Jean-Paul MARQUET, du secrétariat de la CNUCED.

pays pauvres, par le biais de taux d'intérêt élevés), les États-Unis sont devenus le premier pays débiteur, avec une dette extérieure d'environ 120 milliards de dollars à la fin de 1985 — 425 milliards en 1988. Au bout du chemin, c'est la perspective de la banqueroute [1].

L'endettement global du tiers monde s'est accru de manière vertigineuse dans les cinq premières années de la décennie, passant de 500 milliards de dollars en 1980 à 800 milliards en 1985 (il atteint 1 300 milliards en 1989). Si l'on se réfère aux trois principales zones géographiques du tiers monde, c'est l'Amérique latine qui, aujourd'hui, arrive en tête, avec 38 % du total, suivie de l'Asie (24 %) et de l'Afrique (un peu plus de 10 %). La dette africaine paraît faible, mais son service est d'un poids écrasant par rapport au produit national brut de la plupart des pays africains [2]. D'autant que leurs économies sont plus fragiles et plus vulnérables à la chute des prix des matières premières [3] et que le continent a souffert, ces dernières années, de catastrophes naturelles de grande ampleur.

Une telle crise n'est nullement fortuite pour qui se donne la peine de calculer les impératifs mathématiques de tout processus d'endettement et d'analyser le rôle que joue le circuit bancaire transnational dans le dis-

---

1. *The Economist* du 31 mai 1986 rappelait que, si le déficit commercial était ramené à 30 milliards de dollars en 1990, la dette extérieure des États-Unis s'élèverait néanmoins à plus de 500 milliards à la fin de la décennie et mettrait en péril le système financier international.

2. Cf. le dossier « Le fardeau de la dette africaine », *Le Monde diplomatique*, avril 1986, ainsi que la livraison « Dette et tiers monde », de la *Revue française de finances publiques*, n° 12, Paris, 1985.

3. La fraction du montant de leurs exportations de matières premières affecté au service de la dette est passée de 75,9 % en 1980 à 100,5 % en 1984.

positif global de prêt. Les coffres de ces grandes institutions de crédit, comme l'a rappelé le président mexicain, Miguel de La Madrid, « regorgeaient de liquidités qu'elles ne pouvaient pas absorber et qu'elles avaient besoin de recycler [4] ». Ce qu'elles firent avec des taux de profit exceptionnellement élevés. De 1973 à 1982, les capitaux des banques transnationales affluèrent dans le tiers monde, comme en témoignent les comptes des sept principales banques américaines (voir le tableau I). Les profits réalisés sur leurs opérations à l'étranger, et plus particulièrement dans le tiers monde, firent un véritable bond : ils représentaient 25 % du total des bénéfices en 1970, 55 % en 1980 et 60 % en 1982, battant tous les records.

Un modèle mathématique rudimentaire, élaboré à des fins pédagogiques, met en lumière la dynamique suicidaire de l'endettement (voir le tableau II). Ce modèle a été établi à partir de trois paramètres : un pays obtient, disons, 1 000 dollars de prêts par an sur une décennie ; les prêts doivent être remboursés sur une période de vingt ans et le taux d'intérêt est de 10 %.

La logique du modèle révèle l'un des résultats dévastateurs de l'emprunt : la somme qui reste disponible chaque année, une fois défalqué le service de la dette, va en diminuant, jusqu'au moment — la huitième année — où le service (1 060 dollars) est plus élevé que le nouveau prêt. Arrivé à ce stade, le débiteur doit rechercher de nouveaux financements ou des refinancements, uniquement pour honorer le service de ses dettes antérieures.

---

4. Cité dans « Latin America : Mexican President Calls for Economic Restructuring », *Special United Nations Service (SUNS)*, 25 avril 1986.

TABLEAU I. — CROISSANCE DES BÉNÉFICES À L'ÉTRANGER
DES PRINCIPALES BANQUES AMÉRICAINES

Établissements[1]	Bénéfices à l'étranger (en millions de dollars)			Par rapport à l'ensemble des bénéfices		
	1970	1981	1982	1970	1981	1982
Citicorp	58	287	448	40 %	54 %	62 %
Bank America	25	245	253	15 %	55 %	65 %
Chase Manhattan ...	31	247	215	22 %	60 %	70 %
Manufacturers Hanover .	11	120	147	13 %	48 %	50 %
J. P. Morgan	26	234	283	25 %	67 %	72 %
Chemical New York ...	8	74	104	10 %	34 %	39 %
Bankers Trust New York	8	116	113	15 %	62 %	51 %
TOTAL	167	1 323	1 563	22 %	55 %	60 %

1. Classement selon les actifs de 1982.

Source: Calculs effectués à partir des données de Salomon BROTHERS dans *The Economist,* 14 janvier 1978, et *Forbes,* 5 juillet 1982 et 4 juillet 1983.

TABLEAU II. — L'EMPRUNT, SOURCE D'APPAUVRISSEMENT

Sur la base de 1 000 dollars de prêt chaque année, à 10 % d'intérêt :
le seuil fatidique de la huitième année (sommes en dollars)

| Années | Nouveaux emprunts (1) | Services de la dette cumulée | | | Marge disponible (1) — (4) |
		Intérêts (2)	Amortissements (3)	Total (4)	
1	1 000	100	50	150	850
2	1 000	195	100	295	705
3	1 000	285	150	435	565
4	1 000	370	200	570	430
5	1 000	450	250	700	300
6	1 000	525	300	825	175
7	1 000	595	350	945	55
8	1 000	660	400	1 060	— 60
9	1 000	720	450	1 170	— 170
10	1 000	775	500	1 275	— 275

Source : Élaboration à partir de *Monthly Review*, New York, janvier 1984.

La périphérie en voie d'appauvrissement

Dans le monde bien réel du sous-développement et de la dette, cette logique fait des ravages encore plus accablants que ne le suggèrent les chiffres et enraye tout processus de développement interne : depuis 1979, les plus importants débiteurs ont consacré de 70 % à 80 % du montant de leurs nouveaux emprunts au paiement des intérêts de leurs dettes antérieures[5]. Ce gigantesque transfert des ressources de la périphérie vers les principales métropoles capitalistes a eu une traduction spectaculaire : en 1981, et pour la première fois dans l'histoire de l'après-guerre, les pays du tiers monde sont devenus des exportateurs nets de capitaux. De 1981 à 1985, ce flux a été multiplié en moyenne par 10, passant de 7 milliards de dollars à 74 milliards (voir le tableau III). Pour l'Amérique latine, il s'est trouvé multiplié par 85 (de 0,2 milliard de dollars à 42,4 milliards) ; en Afrique, il est passé de 5,3 à 21,5 milliards et en Asie de 1,7 à 9,7 milliards.

A ces flux s'ajoutent le rapatriement des bénéfices des sociétés multinationales et la fuite des capitaux, sans parler des revenus pétroliers du Proche-Orient : soit, au total, aux environs de 230 à 240 milliards de dollars — quatre fois plus que les crédits du plan Marshall. Contrairement à ces derniers, qui furent remboursés aux États-Unis en leur payant des intérêts, cette contribution apportée par les pays pauvres aux pays riches ne fera l'objet d'aucune rétribution...

Cette asymétrie s'aggrave encore quand on voit où vont les prêts des banques internationales qui, en 1985,

---

5. Cf. *IMF Survey*, 30 juin 1986.

TABLEAU III. — CE QUE PÈSE LA DETTE SUR LES ÉCONOMIES
DES PAYS EN VOIE DE DÉVELOPPEMENT [1]
(En milliards de dollars)

	1980	1981	1982	1983	1984	1985
Dette totale	499,7	589,7	676,4	721,8	759,7	800,5
Service de la dette	77,6	97,2	106,3	101,8	110,8	114,4
dont :						
— paiement des intérêts	39,3	53,4	61,1	58,7	64,6	64,2
— paiement des amortissements	38,3	43,8	45,2	43,1	46,2	50,2
Exportations de biens et de services	456,4	475,6	444,4	443,5	485,9	479,1
Exportations de matières premières [2]	104,2	98,1	89,8	92,2	95,9	86,7
Service de la dette en pourcentage :						
— des exportations de biens et de services	17,0	20,4	24,0	23,0	22,8	23,9
— des exportations de matières premières	74,5	99,1	118,4	110,4	115,5	131,9
Nouveaux emprunts et refinancement [3] ...	80,0	90,0	86,7	45,4	37,9	40,8
Flux net de capitaux [4]	+ 2,4	− 7,2	− 19,6	− 56,4	− 72,9	− 73,6

1. A l'exclusion des pays exportateurs de pétrole du Proche-Orient.
2. A l'exclusion du pétrole.
3. Dette cumulée, déduction faite de celle de l'année précédente.
4. Le flux net de capitaux est égal aux nouveaux emprunts, plus le refinancement, moins le service de la dette.

Source : FMI, *World Economic Outlook*, avril 1986, tableaux A 47 et A 51 ; CNUCED, *Yearbook of International Commodity Statistics*, 1985.

ont atteint un sommet de 216 milliards de dollars (une augmentation de 21 % par rapport à 1984). Les économies du centre, comme d'habitude, en ont absorbé la quasi-totalité (194 milliards contre 119 en 1984), les pays du tiers monde ne recevant que 3 milliards (contre 14 en 1984). Somme dérisoire, qui représente tout juste 2 % du paiement global de leurs intérêts[6]. Cette même année 1985, une firme comme Hitachi, au Japon, consacrait 1 milliard de dollars à son seul budget de recherche et de développement...

A partir de l'automne 1979, les taux d'intérêt américains se sont mis à doubler en moins de dix-huit mois, alors que le modèle arithmétique utilisé plus haut est fondé sur des taux constants. Cette escalade, conséquence de la politique monétaire américaine, a encore ajouté des milliards de dollars au service de la dette des États de la périphérie.

Ce n'est pas tout. Alors que notre modèle table sur un niveau constant des nouveaux emprunts, les banques transnationales ont commencé, à partir de 1981, à effectuer des coupes claires dans leurs prêts. Elles avaient en effet pressenti qu'une périphérie en voie d'appauvrissement ne serait jamais en mesure de rembourser les intérêts de sa dette, et encore moins son principal. Un autre facteur rend la réalité encore plus angoissante que le modèle : dans la mesure où les pays du tiers monde prennent du retard dans le paiement de leurs intérêts et de leur principal, les sommes qu'ils ne

---

6. La raréfaction des prêts commerciaux a accompagné en 1985, et pour la quatrième année consécutive, la chute des flux de ressources vers la périphérie. Cf. OCDE, *Financial Resources for Developing Countries : 1985 and Recent Trends*, Paris, 1986. Cf. également Charles SCHUMER et Alfred WATKINS, « Faustian Finance », *The New Republic*, 11 mars 1985.

remboursent pas s'ajoutent à leur endettement cumulé. La machine infernale est en route.

Sous cet éclairage, l'appauvrissement du tiers monde prend sa véritable dimension : de 1981 à 1985, le paiement des intérêts et des amortissements est passé de 78 milliards de dollars à 114 milliards de dollars. Mais, pendant la même période, par exemple, les recettes d'exportation des matières premières (non compris les produits pétroliers) ont chuté de 104 à 87 milliards de dollars[7]. Au point que le service de la dette, calculé en pourcentage des recettes d'exportation des matières premières, a augmenté de 75 % en 1980 à 132 % en 1985. La différence de 32 % a été comblée par l'exportation de produits manufacturés, par les revenus des services et, bien sûr, par de nouveaux prêts ou accords de refinancement (voir le tableau III).

La fuite des capitaux est une calamité supplémentaire pour les pays de la périphérie, qu'il devient de plus en plus difficile de qualifier de « pays en voie de développement[8] ». Selon la Morgan Guaranty Trust Company, plus de 200 milliards de dollars ont fui les dix-huit principaux pays débiteurs du monde au cours de la décennie écoulée, et le chiffre est singulièrement sous-estimé. Cette hémorragie, facilitée par les mécanismes aspirants du circuit bancaire transnational, n'a pas servi, de toute évidence, à financer des projets de déve-

---

7. Estimation du secrétariat de la CNUCED. Les matières premières, dans ces calculs, représentent la somme des productions agricoles primaires et des produits minéraux.

8. La fuite des capitaux est définie par la Morgan Guaranty comme « l'acquisition, déclarée ou non, d'actifs étrangers par le secteur privé non bancaire et par certains éléments du secteur public ». (Cf. Morgan Guaranty, *World Financial Markets*, mars 1986, p. 13 à 15.)

loppement dans le tiers monde, ni à assurer le service de la dette. La plupart de ces fonds ont été dilapidés dans des opérations spéculatives, en particulier sur les marchés à terme des matières premières.

On a ainsi assisté à un transfert de ressources, historiquement sans précédent, des pays pauvres vers les pays riches qui, outre qu'il reste moralement rétrograde, débouche à court terme sur une impasse [9]. Commentant la fuite des capitaux d'Amérique latine (qui, de 1983 à 1985, a atteint 105 milliards de dollars alors que, dans le même temps, le sous-continent obtenait 18 milliards sous forme de nouveaux prêts et d'investissements), Miguel de La Madrid s'exprimait en des termes applicables à tout le tiers monde : « Nous avons atteint la limite du supportable dans ce transfert net de ressources vers le reste du monde, qui viole la logique économique et la plus élémentaire équité [10]. »

Tout compte fait, il paraît impossible que le principal de la dette du tiers monde, ou même ses intérêts, soit jamais remboursé. Les délais de paiement supplémentaires et les accords de refinancement ne pourront, tout au plus, que retarder l'échéance. Il n'est d'ailleurs nullement souhaitable que cette dette (principal et intérêt) soit payée : sa répudiation apparaît comme la seule solution rationnelle et moralement acceptable pour le tiers monde s'il veut prévenir la catastrophe imminente.

---

9. Claire Brisset, Boudewijn Mohr, « Quand le tiers monde subventionne le développement des pays riches », *Le Monde diplomatique*, décembre 1987.

10. Cité dans *SUNS, op. cit.* A ce propos, on rappellera que l'Amérique latine doit exporter 25 % de plus de biens qu'en 1970 pour obtenir les mêmes recettes d'exportation.

14

Les impasses de l'économisme

Par Christian Comeliau*

Les organisations internationales jouent un rôle d'importance croissante dans le développement de l'économie mondiale et dans celui des économies nationales : les réglementations qu'elles édictent, les transferts de ressources qu'elles réalisent, les débats qui occupent leurs conférences, ne peuvent plus être ignorés par aucun décideur. Cependant, le fondement, la nature et l'impact réel de ce rôle sont rarement analysés : d'où la multiplication d'attitudes simplistes à l'égard de ces institutions, tour à tour transformées en boucs émissaires de toutes les difficultés ou révérées comme des dépositaires de vérités intangibles.

La publication des rapports de la Conférence des Nations unies sur le commerce et le développement (CNUCED) [1] et de la Banque internationale pour la reconstruction et le développement (Banque mon-

---

* Économiste.

1. Conférence des Nations unies sur le commerce et le développement, *Rapport sur le commerce et le développement 1987*, Genève, juillet 1987.

diale) [2] — fournit l'occasion d'un début de réflexion sur le problème.

A la différence de la Banque mondiale ou du Fonds monétaire international (FMI), la CNUCED est un organisme non financier des Nations unies où chaque pays dispose d'une voix : les représentants du tiers monde y sont donc majoritaires. Son dernier rapport annuel identifie un certain nombre de questions concernant le développement à long terme, mais n'y donne pratiquement pas de réponse. Il faut essayer de comprendre pourquoi.

Pour l'essentiel, ce document propose une analyse macro-économique relativement détaillée de l'économie mondiale. Le bilan qui s'en dégage n'est pas seulement pessimiste, il est profondément inquiétant, parce qu'il signale le dérèglement des mécanismes traditionnels de la stratégie internationale de croissance et de développement.

Trois faits saillants, de ce point de vue, méritent d'être rappelés. C'est d'abord la persistance, et même l'aggravation, de très profonds déséquilibres de paiements extérieurs courants entre pays industrialisés, et particulièrement — on le sait — entre les États-Unis, d'une part, le Japon et la RFA, d'autre part. Il en résulte notamment une ponction financière sur l'épargne mondiale au profit du pays le plus riche de la planète, ainsi que des pressions protectionnistes qui freinent le commerce international et les possibilités d'exportation des pays endettés. L'ajustement réclamé des pays du tiers monde est rendu plus difficile, en rai-

---

2. Banque mondiale, *Rapport sur le développement dans le monde 1987*, Washington DC, juillet 1987.

son de ces déséquilibres dont ils ne sont pas responsables.

S'y ajoutent la faiblesse de la croissance dans les pays industrialisés — liée à la stagnation de l'investissement, en dépit des multiples incitations d'inspiration libérale — et la prolongation de la « crise » de l'endettement, beaucoup moins grave pour les créanciers qui ne seraient pas totalement remboursés que pour les emprunteurs du tiers monde qui voient se tarir les financements disponibles pour le développement à long terme. Le rapport de la CNUCED conclut explicitement à l'échec de toute la stratégie élaborée à l'égard de l'endettement depuis 1982.

La justesse de cette analyse est difficilement contestable. D'où vient alors que le rapport laisse une telle impression d'insatisfaction ? De ses conclusions, sans doute, puisqu'il ne voit d'autre issue à la crise qu'une reprise de la croissance globale grâce à de nouvelles injections financières — une réédition toujours aussi aveugle du mouvement même qui a conduit à cette crise. Mais la faillite des mécanismes classiques — la réponse insuffisante de l'investissement, en particulier — était pourtant mieux identifiée par la CNUCED que par beaucoup d'autres institutions : pourquoi ses propositions pratiques demeurent-elles aussi pauvres ?

Il faut sans doute revenir, pour l'expliquer, à la pauvreté des méthodes d'analyse dont la pensée de la CNUCED, inévitablement dominée par l'approche traditionnelle des économistes, reste tributaire. Peut-on vraiment comprendre les problèmes réels de l'économie mondiale à la simple lecture des courbes de hausse et de baisse de quelques variables macroéconomiques standardisées ? Peut-on se satisfaire indéfiniment de ces raisonnements superficiels sur la croissance globale ou le taux d'investissement, sans s'interroger davantage sur le contenu concret de ces agrégats et sur leurs conséquences sociales? Est-il bien utile de décrire ces mouvements de hausse et de baisse sans jamais s'interroger, ni sur leurs déterminants sociaux, ni sur leurs conséquences à long terme, au-delà de la conjoncture immédiate?

Le rapport de la CNUCED n'est pas pire que d'autres (il est même plutôt meilleur), mais il demeure prisonnier de l'économisme à courte vue de l'immense majorité des experts internationaux et des forces politiques qui s'expriment à travers eux. Dès lors, ses dénonciations apparaissent courageuses, certes, mais demeurent impuissantes à proposer des orientations nouvelles.

La même litanie de recommandations

Là où la CNUCED pose des questions sans pouvoir y trouver de réponses, la Banque mondiale refuse les interrogations et assène des certitudes. L'impact de son rapport annuel est une référence quasi obligée pour l'immense majorité des théoriciens et des praticiens du développement. D'évidence, la quantité et l'étendue de l'information ainsi rassemblée font de ce document une publication sans rivale. Quant aux conséquences à long terme d'un tel impact, elles ne paraissent être prises en considération par personne, encore qu'elles soient extrêmement graves. L'analyse globale de la situation et des perspectives de l'économie mondiale est plus brève et plus superficielle que celle de la CNUCED; elle est aussi plus optimiste, probablement parce que la Banque

188

est une institution qui prête et a besoin de justifier ses prêts. Les défauts traditionnels de l'analyse macroéconomique sont ici accentués dans l'analyse des perspectives à moyen terme, présentées sous la forme de quelques taux de croissance par grande région du monde, et reposant en définitive sur une technique de scénarios quelque peu tautologique.

On formule, en effet, quelques hypothèses plus ou moins favorables — sans jamais étudier quelle conjonction d'intérêts et de comportements pourrait conduire à leur réalisation, alors que ce serait le véritable intérêt du travail —, et l'on constate ensuite, quasi mécaniquement, que les conséquences en seront elles-mêmes plus ou moins favorables : il s'agit plus d'une incantation que d'un exercice de préparation des décisions. Mais peu importe, puisque les décisions qu'il s'agit de prendre ou de faire prendre sont parfaitement déterminées : dans le contexte actuel, les auteurs du rapport paraissent considérer que la politique de développement se confond avec celle de l'ajustement structurel, ce qui leur permet d'aligner invariablement la même litanie de recommandations (rééquilibrage des budgets et des balances de paiements, réduction des salaires, priorités à l'exportation, privatisation, « vérité » des prix, reconnaissance des exigences souveraines de la rentabilité et de la compétitivité, etc.).

Quant à la partie spéciale du rapport, consacrée cette année aux relations entre industrialisation et commerce extérieur, elle permet à la Banque d'exposer une nouvelle fois sa thèse centrale en faveur des stratégies « ouvertes ». Selon cette thèse, on le sait, l'accélération du développement requiert l'intégration la plus large possible des économies nationales dans les échanges internationaux, en fonction des avantages comparatifs et des « lois » du marché ; il doit en résulter une orientation prioritaire de la production vers l'exportation, sans que l'on paraisse se soucier ni des besoins internes les plus urgents, ni d'une conjoncture internationale fort peu préparée à absorber ce surcroît d'exportations. Le plaidoyer se termine par un « programme d'action » qui surprend par sa banalité, car il ne contient rien d'autre que les composantes standards des « programmes d'ajustement structurel » imposés par la Banque à des dizaines de pays en voie de développement durant les années récentes.

On comprend mieux, dès lors, la signification réelle de ce rapport : ce n'est pas un effort pour analyser et pour comprendre, c'est une thèse à faire triompher. Or, même si plusieurs de ses éléments sont parfaitement justifiés dans certains cas, l'inconvénient d'une telle démarche est de confondre la partie avec le tout, de faire passer pour un « développement » général certains intérêts particuliers, de prétendre, par exemple, qu'il ne peut exister qu'une seule voie de développement là où, par essence, les objectifs envisageables sont multiples et le respect du pluralisme une exigence primordiale.

Émergence politique de contre-pouvoirs

Par quelles techniques se réalise ce tour de passe-passe idéologique ? En bref, elles consistent à travestir l'histoire en ne considérant qu'un seul aspect de la réalité — par exemple en affirmant que la libéralisation du commerce a causé « une prospérité sans précédent à l'échelle mondiale » —, et, surtout, à escamoter les options de politique économique en dégageant un seul « bon choix », généralement favorable aux règles du marché et aux intérêts les plus puissants sur ce marché (investisseurs étrangers, exportateurs...).

La comparaison des deux rapports débouche sur un contraste provocant : l'un inquiète parce qu'il se reconnaît implicitement prisonnier d'une idéologie et d'une méthode d'approche insuffisante ; l'autre tranche à grands coups d'affirmations péremptoires, dont on découvre chaque année davantage qu'elles ne sont pas politiquement innocentes, mais interdit en pratique tout débat.

Or le débat est essentiel en la matière, et il faut en restaurer la possibilité. Un premier pas dans cette voie serait d'approfondir l'analyse politique du développement et du rôle des organisations multilatérales. La tâche n'est pas facile : elle suppose à la fois l'élaboration de méthodes intellectuelles d'analyse économique et sociale différentes de celles proposées actuellement par les économistes et les ingénieurs « orthodoxes » qui peuplent ces organisations, et l'émergence politique de contre-pouvoirs, face à la constellation d'intérêts particuliers qui domine aujourd'hui les bureaucraties internationales.

15

Les poubelles de la Terre

*Par Anne Maesschalk
et Gérard de Selys**

Depuis le début des années quatre-vingt, les industries polluantes déversent sur le Sud les déchets toxiques qu'elles n'ont plus le droit d'abandonner au Nord. Mais la réprobation suscitée par de récents contrats avec les pays pauvres d'Afrique a entraîné un coup d'arrêt à ce mouvement et devrait accélérer la signature de conventions internationales sur les mouvements transfrontières de produits dangereux.

Le 29 avril 1988, alors que le cargo syrien *Zanoobia*, chargé de fûts toxiques et de marins empoisonnés, restait désespérément ancré au large de Carrare (Italie) après des mois d'errance entre Djibouti, le Vénézuela, la Syrie, la Grèce et la Sardaigne, des informations alarmantes étaient diffusées à propos de la Guinée-Bissau.

---

* Journalistes.

Un parlementaire européen, François Roelants du Vivier, membre belge de l'Entente européenne pour l'environnement, dévoilait l'existence de contrats mirobolants conclus entre ce pays, d'une part, une société suisse, Intercontrat, et deux sociétés britanniques, Bisexport-import Ltd de Londres et Hobday Ltd, d'autre part.

Pour près du huitième du prix habituellement pratiqué dans l'hémisphère Nord, ces sociétés avaient réussi à convaincre le gouvernement de Guinée-Bissau de leur céder un terrain de 400 hectares afin d'y entreposer des déchets toxiques provenant d'Europe et d'Amérique du Nord. Le site réservé, celui de Binta, dans le nord-ouest du pays, est facilement accessible par voie fluviale aux bateaux de haute mer, mais particulièrement inadapté au stockage de déchets. Selon les recherches d'experts de la CEE qui y élaborent un projet de développement rural, son sol est poreux et acide. Quelques jours plus tard, F. Roelants du Vivier dénonce l'existence d'un contrat de déversement de déchets au Bénin, et un transporteur hollandais, la société Van Santen, annonce qu'elle dispose d'une licence délivrée par la République du Congo pour l'entreposage et l'incinération d'un million de tonnes de déchets toxiques [1].

En 1983 [2], les pays membres de l'Organisation de coopération et de développement économiques (OCDE) produisaient un milliard de tonnes de déchets industriels dont 292 millions de tonnes de déchets toxiques (268 millions en Amérique du Nord).

---

1. Les déchets toxiques destinés au Congo sont récoltés par la société Bauwerk du Lichtenstein, paravent de la société américaine Export Waste Management.
2. Dernières données disponibles.

Début 1988, 22,5 millions de tonnes de ces déchets toxiques étaient promises à un discret stockage sur le continent africain : 6 millions de tonnes en Guinée-Bissau, 15 millions au Bénin, 1 million en République du Congo et 500 000 à Djibouti. D'autres contrats étaient conclus ou en cours de négociation, dans le même temps, avec le Nigéria, le Sénégal, le Niger, le Vénézuela, les Bahamas et Haïti.

Alors que l'incinération, de plus en plus souvent obligatoire en Europe et aux États-Unis, d'une tonne de déchets hautement toxiques coûte 300 dollars, l'entreposage de la même quantité de ces déchets revient au plus à 40 dollars dans les pays du tiers monde. Le profit est tellement énorme et sa légitimité à ce point douteuse que, jusqu'à il y a peu, ce trafic se faisait dans la plus grande discrétion.

D'autres faits, révélés en mai et juin 1988, donnent la mesure du phénomène [3].

Chaque fois, le scénario est le même :
— choix d'un pays pauvre d'Afrique avec façade maritime et n'ayant pas signé la convention de Londres sur « la prévention de la pollution des mers résultant de l'immersion de déchets » : Guinée-Bissau, Bénin, Djibouti, Sénégal, Nigéria, Congo-Brazzaville ;
— conclusion d'un contrat d'entreposage et de traitement avec des sociétés paravents installées dans des pays échappant aux directives européennes : Hobday Ltd (île de Man), Bauwerk (Lichtenstein), Sesco Ltd (Gibraltar) et Intercontrat SA (Suisse) ;
— dissimulation des commanditaires américains

---

3. Lire : « Who Gets the Garbage ? » in *Time*, 4 juillet 1988, et *Le Vif-L'Express*, Bruxelles, 20 mai 1988.

(Export Waste Management Inc. et Lindaco) ou européens (Jelly Wax) occultant à leur tour les multinationales productrices de déchets toxiques par des clauses de confidentialité très strictes ;
— prix offerts (de 2,5 à 40 dollars la tonne) nettement inférieurs aux prix des marchés européens et américains (de 75 à 300 dollars la tonne) ;
— transport effectué par bateaux sous pavillon de complaisance avec des équipages prêts à fermer les yeux sur des largages clandestins en mer.

Des déchets radioactifs pour l'Afrique

Indignés de voir leurs pays transformés en poubelles, des responsables africains réagissent. Le Conseil des ministres de l'Organisation de l'unité africaine (OUA), réuni du 19 au 23 mai 1988 à Addis-Abeba, adopte une résolution condamnant l'exportation de déchets toxiques vers le tiers monde. Il invite « les pays africains qui ont signé des accords ou autres arrangements autorisant le déversement de déchets nucléaires et industriels dans leurs territoires à dénoncer ces accords » ou à s'abstenir d'en conclure.

A l'ONU, des fonctionnaires bissau-guinéens adressent une pétition au secrétaire général, et le gouvernement de la Guinée-Bissau annonce, début juin, qu'il annule les contrats signés avec Intercontrat.

Dans un communiqué remis le 2 juin 1988 aux missions diplomatiques accréditées à Bruxelles à l'occasion de la Journée mondiale de l'environnement (5 juin), la République du Togo dénonce « les pays qui, pour protéger leurs populations, se tournent vers le continent africain pour y jeter leurs déchets nocifs », et manifeste « sa profonde indignation », « indignation d'autant plus grande que ces pays industrialisés disposent d'espaces libres plus vastes que les États africains ».

Dans le même temps, l'ambassadeur du Congo à Bruxelles, alerté par la radio belge, prévient son gouvernement que la société Export Waste Management a signé, avec son pays, un contrat pour le déversement de 1 million de tonnes de déchets à 39 kilomètres de Pointe-Noire. Cinq personnes s'étant partagé 4 millions de dollars de pots-de-vin sont arrêtées et, parmi elles, un membre du cabinet du Premier ministre et le directeur de l'Environnement.

Le 6 juin 1988, deux responsables du ministère guinéen du Commerce sont arrêtés dans le cadre d'une enquête sur le déchargement des déchets américains sur l'île de Kassa ; un autre, en mission en Italie, est recherché. Le 13 juin, Conakry exige le retrait des 15 000 tonnes de déchets contenant du cyanure et des dérivés de plomb. Le consul honoraire de Norvège, M. Stromme, occupant des fonctions dans une compagnie maritime accusée d'avoir déversé les déchets, est également arrêté. Oslo fait savoir que la Norvège est prête à évacuer les déchets à partir du 25 juin.

Le 13 juin 1988, les représentants de dix pays africains réunis à Accra adressent une mise en garde aux pays industrialisés, leur demandant de cesser de prendre le continent et les océans pour des décharges, et le Ghana lance un appel aux responsables africains afin qu'ils ne se « laissent pas aveugler par des considérations financières pour accepter sur leur sol des produits aussi destructeurs ». A Lagos, le porte-parole de la présidence annonce que toute personne suspectée d'avoir participé à l'importation de déchets toxiques dans la décharge de Koko « risque le peloton d'exécution » et que les populations vivant près du port sont en cours d'évacuation, les déchets s'étant révélés radioactifs. La veille, le Nigéria avait menacé de poursuivre l'Italie devant la Cour internationale de justice si elle ne retirait pas les déchets, et les autorités nigérianes intimaient l'ordre à un cargo italien qui avait jeté l'ancre à Lagos de remporter les déchets en Italie.

Le même jour, la milice chrétienne des Forces libanaises procédait au chargement, à Beyrouth, de 1 200 tonnes de déchets importés huit mois plus tôt au Liban par la société italienne Jelly Wax. Le Premier ministre ordonne l'ouverture d'une enquête.

Fin juin 1988, le gouvernement béninois n'avait toujours pas dénoncé le contrat de dix ans signé avec la société Sesco établie à Gibraltar et qui prévoit le stockage de 1 à 5 millions de tonnes de déchets pour la somme de 2,5 dollars la tonne. De plus, l'arrivée imminente de déchets radioactifs français au Bénin n'aurait pas été étrangère, selon certaines sources, au coup d'État manqué du 26 mars au cours duquel le président Kérékou avait failli être renversé [4].

La bénédiction tacite des Occidentaux

En Europe, alors que le Parlement européen avait condamné, le 19 mai 1988, à la requête de l'Entente

---

4. Ces déchets feraient route à bord de deux bateaux militaires français achetés par le Bénin. Selon le numéro du 4 mai 1988 de *Jeune Afrique*, ils devraient être stockés au Bénin pendant trente ans dans le périmètre Abomey-Goho.

européenne pour l'environnement, « toute exportation massive de déchets dangereux vers les pays en voie de développement » et demandé « l'arrêt des contrats en cours », le Conseil des ministres de l'environnement de la CEE charge, le 16 juin, la Commission de prévoir d'urgence le renforcement de la législation sur l'exportation des déchets et lui demande d'accroître ses contrôles.

La pression exercée sur le tiers monde par des sociétés-écrans, avec la bénédiction tacite des gouvernements européens et nord-américains, s'exerce d'abord par une promesse de devises fortes facilement acquises. Ainsi, en Guinée-Bissau, les deux sociétés britanniques Hobday et BIS s'étaient engagées à envoyer jusqu'à 3 millions de tonnes de déchets par an pendant cinq ans, et la société suisse Intercontrat, de 50 000 à 500 000 tonnes par an pendant dix ans. Ces deux contrats cumulés représentaient 800 millions de dollars : l'équivalent de cinq fois le PIB de la Guinée-Bissau (160 millions de dollars en 1986) et plus du double de sa dette extérieure de 307 millions de dollars. Autre élément de persuasion : la promesse de création d'emplois, l'installation d'entreprises de recyclage des déchets et le transfert de nouvelles technologies. Exemple : en Guinée-Bissau, Intercontrat s'engageait à construire une usine de retraitement « apte à transformer les déchets recyclables et les déchets urbains de la ville de Bissau en matières utilisables pour la construction de routes et d'immeubles ». Même chose au Bénin, où l'on retrouve Intercontrat en compétition avec une société basée à Gibraltar, la Sesco, qui n'offre, elle, que 2,50 dollars pour l'entreposage d'une tonne mais promet 50 cents supplémentaires par tonne pour des projets de développpement.

Grugés sur les prix, les dirigeants africains le sont aussi sur les promesses de transfert de technologie. L'Afrique n'a pas besoin des technologies de retraitement de déchets industriels qu'elle ne produit pas elle-même. A quoi sert-il, par exemple, d'apprendre à traiter la dioxine alors que, le 1er janvier 1989, la production des diphényles polychlorés ou PCB sera interdite dans la zone OCDE et que les pays pauvres n'en produisent pas ? En outre, l'apport de devises, satisfaisant à court terme, est annihilé à moyen terme par les exonérations fiscales consenties aux sociétés de retraitement et par le coût de la décontamination future des sites. La santé des populations risque aussi d'être plus gravement atteinte que dans les pays riches : la contamination des nappes phréatiques mesurée à proximité des décharges en Europe et en Amérique du Nord provoquera encore plus de dégâts dans des pays qui manquent d'eau de surface et qui n'effectuent que peu ou pas de contrôle de l'eau destinée à la consommation ou à l'agriculture.

En Europe et en Amérique du Nord, depuis la Seconde Guerre mondiale, c'est le laisser-faire qui a prévalu. Quand les drames ont éclaté, on a fait mine de s'étonner. A la fin des années soixante-dix, les États-Unis découvraient avec stupeur 20 000 tonnes de déchets chimiques abandonnés sur les berges du Love Canal à Niagara Falls. Deux mille cinq cents personnes durent être déplacées, et l'on enregistra de nombreux cancers et malformations d'enfants. Cette affaire allait favoriser l'adoption de mesures législatives réglementant la gestion des déchets. Mais, en 1985, l'Agence américaine pour la protection de l'environnement dénombrait encore 21 512 sites de décharge potentiellement dangereux et 1 750 exigeant des mesures urgentes d'assainissement.

Un droit international de l'environnement

En Europe, la situation n'est guère plus brillante. A Lekkerkerk, aux Pays-Bas, 870 personnes ont dû déménager définitivement en raison de la présence de quelque 500 tonnes de déchets hautement toxiques à proximité de leur habitation. Lekkerkerk n'était pourtant qu'un des 4 300 sites potentiellement contaminés répertoriés aux Pays-Bas en 1980. Actuellement, en RFA, les sites dangereux sont au nombre de 35 000, tandis qu'en Grande-Bretagne le ministère de l'Environnement évalue à 10 000 hectares la superficie des sols contaminés [5]. En Belgique, pays de passage s'il en est, et encore récemment sans contrôle strict, d'innombrables sites clandestins de déchets toxiques ont été découverts. En février 1987, on trouvait 530 tonnes d'arsenic pur répandues sur le site industriel de la Metalurgie Hoboken-Overpelt, dans la province de Limbourg. Les eaux souterraines servant à l'approvisionnement en eau potable de la région avaient été contaminées. On n'en parle plus. Rien n'a été fait depuis pour nettoyer les dizaines d'hectares atteints [6]. Aux Pays-Bas, près de

---

5. Ces données sont extraites d'un rapport au Parlement européen fait au nom de la commission de l'environnement, de la santé publique et de la protection des consommateurs par M. Roelants du Vivier en avril 1987.

6. *Le Soir*, Bruxelles, 5 février 1987.

4,5 millions de mètres cubes de terre sont gravement pollués, ce qui représente un coût d'assainissement d'environ 1 milliard d'ÉCU (estimation 1984).

Poussés par les mouvements écologistes, les pays du Nord ont d'abord adopté des lois en ordre dispersé, avec l'effet pervers que leur plus ou moins grand laxisme a provoqué : des mouvements transfrontaliers multiples tant en Europe qu'en Amérique du Nord. En 1983, l'OCDE a ainsi enregistré 5 000 passages de frontières en Amérique du Nord et pas moins de 100 000 en Europe. Ces mouvements sont aussi le résultat des différences de coût relevées pour le traitement et le stockage des déchets toxiques. Il a fallu la perte des 41 fûts de dioxine de Seveso pour que ce scandaleux trafic apparaisse en pleine lumière. C'était en 1983. Le 1er février 1984, les pays membres de l'OCDE signent une première décision-recommandation censée faciliter l'élaboration de politiques d'harmonisation. Elle fut suivie d'une autre en juin 1986 sur l'exportation de déchets à partir de la zone OCDE.

Depuis lors, les travaux des organisations internationales se sont accélérés. La CEE a adopté deux directives : l'une en 1984 et l'autre en 1986, qui devaient être mises en œuvre par les pays de la CEE au plus tard le 1er janvier 1987. Vingt mois plus tard, seuls quatre pays s'y sont conformés : la Belgique, le Danemark, la Grèce et les Pays-Bas avec certaines réserves. Un projet OCDE, au stade final d'élaboration depuis 1986, devrait être abandonné au profit d'une convention prévue pour être signée dans le cadre des Nations unies le 21 mars 1989 à Bâle.

Trois principes fondamentaux de droit international

de l'environnement dominent cette matière [7] : le premier est le principe du consentement préalable du pays importateur ; le deuxième principe, celui de la non-discrimination, est lui aussi reconnu par les conventions internationales. Il impose aux gouvernements des pays exportateurs de s'engager à contrôler de façon aussi rigoureuse les exportations de déchets dangereux vers des pays non membres de l'OCDE ou de la CEE qu'ils le font pour les déchets circulant dans la zone OCDE.

Garanties pour le tiers monde

Le troisième principe, celui de l'adéquation des installations d'élimination, est, lui, contesté par les autorités américaines et japonaises. Alors que la conférence de Bâle a demandé aux États membres de l'OCDE de ne permettre que des mouvements de déchets dangereux vers des pays dotés d'installations d'élimination adéquates, cette interdiction ne se retrouve pas dans le projet de la PNUE. C'est pourtant une garantie essentielle pour le tiers monde.

---

7. Voir aussi J.-P. HANNEQUART, *La Politique de gestion des déchets*, Institut pour une politique européenne de l'environnement, Berlin, 1983.

IV

Fragiles espérances

Lentement, douloureusement, s'estompe la guerre froide et se transforme le monde issu des suites du dernier conflit mondial. Les règles du jeu primitives fixées par les deux grands évoluent. L'espoir des pauvres, des déshérités, de ceux qui n'ont pas droit à la parole, renaît. Le renouveau des Nations unies où se rencontrent l'Est et l'Ouest et où s'ébauche un dialogue Nord-Sud ; les propositions inventives pour alléger l'insupportable fardeau de la dette ; la dynamique de règlement des conflits locaux et l'amorce du désarmement confortent ces fragiles espérances. Mais, à terme, la survie de l'humanité dépend d'une transformation radicale des présupposés mêmes du développement, d'une mutation de notre civilisation : des idées neuves seront indispensables pour façonner le monde de demain.

16

Nations unies :
une relance du dialogue Nord-Sud

*Par Maurice Bertrand**

L'année 1988 a été marquée par les accords sur le Sahara occidental, l'Afghanistan et la Namibie. Les Nations unies ont activement contribué à chacune de ces négociations. Cette renaissance de l'ONU a été favorisée par la réforme qui vise à faire de l'organisation mondiale un cadre privilégié du dialogue entre le Nord et le Sud.

La session 1986 de l'Assemblée générale des Nations unies s'est conclue par l'adoption d'une résolution sur la « réforme » de l'Organisation, qui a permis à l'ambassadeur américain auprès de l'ONU, le général Vernon Walters, de se déclarer satisfait. Elle lui fournit « un argument efficace pour convaincre le Congrès des États-Unis d'assouplir sa position ». Comme la crise financière était due essentiellement aux amende-

---

* Ancien membre du Corps commun d'inspection des Nations unies.

ments adoptés par le Congrès qui avaient abouti à réduire de plus de moitié la contribution américaine au budget de l'Organisation, on pourrait croire que cette crise est terminée.

Diverses analyses fournies par la presse [1] indiquent au surplus que la réforme approuvée est importante et que le budget de l'ONU sera désormais adopté par « consensus » : les querelles qui, depuis des années, opposent les « gros contributeurs » — c'est-à-dire les pays riches, occidentaux et socialistes — aux pays pauvres du « groupe des 77 » devraient cesser.

Mais, même si une atténuation des difficultés financières se produisait, ce qui est loin d'être garanti, il serait illusoire de croire que les problèmes de l'ONU sont pour autant résolus.

De très nombreuses raisons permettent au contraire de penser que l'on se trouve en présence des premières manifestations d'une crise importante qui dépasse largement le cadre de l'organisation mondiale et qui correspond en fait à l'ouverture d'un nouveau dialogue Nord-Sud.

« L'égalité souveraine des États »

Ce dont il s'agit, en effet, c'est du contrôle de l'Organisation. Le premier « amendement » qui a provoqué la crise, l'amendement Kasselbaum, adopté par le Congrès des États-Unis en août 1985, posait comme condition au paiement intégral de la contribution à l'ONU

---

1. *Le Monde* daté 21-22 décembre 1986, « Le budget des Nations unies sera désormais adopté par consensus », par Charles LESCAUT.

l'adoption par l'Assemblée générale du système de « vote pondéré », c'est-à-dire le remplacement du système actuel qui donne à chaque État une voix (quelle que soit l'importance du pays), par une méthode calculant le nombre des voix en fonction de la puissance économique (comme c'est le cas à la Banque mondiale et au Fonds monétaire international [2]). L'auteur de l'amendement savait fort bien qu'il s'agissait, dans les circonstances actuelles, d'une exigence inacceptable, mais le sens de la demande était clair pour tous : les États-Unis — et derrière eux (cachés, prudents et satisfaits, même s'ils affectaient d'être désapprobateurs) tous les pays riches — pensaient qu'il fallait en finir avec cette « majorité automatique » faite de petits contributeurs et de micro-États qui adopte constamment des résolutions contraires aux idées et aux politiques des grands pays.

La première remarque qui s'impose est que l'on n'avait jamais osé jusqu'ici poser le problème aussi clairement ; la deuxième est que la résolution adoptée à la fin décembre 1986 n'en apporte pas la solution.

La question qu'il faut maintenant résoudre, c'est celle du mode de représentation des États membres au sein d'une organisation mondiale acceptable par tous. Le fait d'ouvrir des négociations à ce sujet signifie que l'on n'hésite plus à mettre en cause, sinon le principe de l'« égalité souveraine des États », du moins la conséquence que l'on en avait tirée jusqu'ici que, d'après la charte, chaque État devait disposer d'une voix.

On ne touche pas à de tels tabous sans prendre de

2. Lire l'article de Claire BRISSET dans *Le Monde diplomatique* de juin 1986.

grandes précautions. Les États riches — occidentaux et socialistes — s'étaient jusqu'à maintenant contentés de s'efforcer de désacraliser l'institution mondiale elle-même. Leurs représentants parlaient avec insistance de son coût trop élevé, du montant exagéré des traitements de ses fonctionnaires, de la mauvaise gestion, du besoin impératif de s'en tenir à une « croissance zéro » sur le plan budgétaire. L'argumentation avait pris une forme tellement stéréotypée que les diplomates qui tenaient ces discours finissaient par y croire eux-mêmes.

« Vote pondéré » et consensus

Mais ce discours indirect, s'il avait entraîné quelque réduction de dépenses et mis un terme à la prolifération de nouveaux organismes, ne menait en fait nulle part. Non seulement il n'exposait pas les véritables griefs mais il dépassait son but. Il tendait en définitive à démanteler l'institution elle-même et ainsi à mettre en cause, à travers elle, l'espoir de paix qu'elle incarne ou les principes qu'elle défend. Cette offensive plaçait donc les gouvernements des pays du Nord dans une situation inconfortable et elle n'ouvrait pas de dialogue nouveau.

Or voici qu'en engageant la discussion sur la manière dont le budget est adopté et en proposant un changement dans les modalités de vote, les États-Unis ont fourni l'occasion de commencer à discuter du fond du problème.

A la fin de 1985, l'Assemblée générale a créé un groupe d'experts — le « groupe des 18 » — chargé de « déterminer les mesures à prendre pour continuer à améliorer l'efficacité du fonctionnement administratif et financier de l'Organisation ». Dans toutes les crises financières du passé, l'ONU a toujours créé des groupes de ce genre qui ont tous fait des propositions d'économie et de restructuration suivies généralement de peu d'effets. Le « groupe des 18 » n'a pas échappé à la règle. Il a fait des recommandations[3] sur la politique du personnel, sur la structure du secrétariat, proposé des réductions d'effectifs (15 % sur trois ans et 25 % pour les postes supérieurs) que l'Assemblée générale a adoptées avec diverses réserves. Rien de très neuf dans tout cela. Ce qui est nouveau, c'est qu'il a dû traiter des modalités de décision sur le budget.

La manière dont la négociation a évolué jusqu'ici peut sans doute paraître quelque peu ésotérique. L'ONU est un organisme complexe ; les modalités d'établissement de son budget — qui est un « budget programme » biennal — sont compliquées. Le fait que la négociation au sein du « groupe des 18 » et au sein de l'Assemblée générale se soit concentrée autour de l'institution d'un comité ayant pour mission d'essayer de trouver un consensus sur le contenu du programme et sur le montant du budget, avant que la cinquième commission de l'Assemblée générale ne se saisisse du programme, peut paraître au profane d'un intérêt limité. C'était cependant la seule voie de recherche envisageable.

Comme il n'est pas possible de toucher à la charte, il n'était pas question d'examiner le problème du « vote pondéré » qui aurait exigé une modification des articles 17 et 18 (« un État = une voix », et majorité des

---

3. Documents officiels des Nations unies, Assemblée générale, quarante et unième session, supplément n° 49 (A/41/49).

deux tiers pour l'adoption du budget). On s'est donc contenté de chercher à établir, en amont de la décision finale prise par l'Assemblée générale, un mécanisme facilitant une négociation préalable sur le contenu du programme et le montant du budget.

Le « groupe des 18 » n'a pas réussi à se mettre d'accord sur une solution : il en a proposé trois différentes. Finalement, l'Assemblée générale en a choisi une quatrième qui consiste à ne pas modifier la structure des comités subsidiaires, à réaffirmer les principes de la charte sur les modalités actuelles de décision, à confier toutefois au comité du programme et de la coordination la mission d'examiner un projet résumé de budget un an à l'avance, d'essayer d'établir un « consensus » à son sujet et de transmettre son avis à l'Assemblée, qui en fera ce qu'elle voudra.

La « solution » ainsi adoptée contient de telles réserves, réaffirme tellement l'intangibilité du processus de décision actuel, que l'on peut être certain qu'elle n'améliorera guère les possibilités d'accord au sein de l'ONU.

Même si l'administration américaine insiste aujourd'hui sur l'idée que les décisions budgétaires devraient être prises désormais par « consensus », chacun sait bien que les problèmes politiques ne seront pas résolus en précisant les compétences d'un comité consultatif sur les questions de programme ou de budget. Les éléments d'une négociation plus vaste sont déjà tous réunis, avec des degrés inégaux de clarté dans leur formulation.

Les risques d'un système concurrent

Le fond du problème, c'est le refus par les pays occidentaux en général, et pas seulement par les États-Unis, de la philosophie qui a servi de base au précédent dialogue Nord-Sud et qui a été la cause fondamentale de son échec. Il est évident que les pays riches sont tous irrités par l'usage que les pays en développement font de l'ONU ; par la propagande idéologique, culpabilisatrice, revendicatrice, antilibérale, que le « groupe des 77 », majoritaire aux trois quarts (environ 120 pays contre 40), reprend à grand renfort de discours et de résolutions ; par les condamnations prononcées en toute occasion contre les pays occidentaux ; en général par l'attitude moralisatrice adoptée par des gouvernements le plus souvent dictatoriaux et peu encombrés de scrupules en ce qui concerne leur propre politique.

Pendant près de trois décennies, depuis Bandung en 1955, mais surtout depuis le début des indépendances au milieu des années soixante jusqu'aux années quatre vingt, les représentants des pays du tiers monde avaient pris et gardé l'initiative du dialogue avec les pays riches.

Or, pendant que l'Union soviétique et les pays socialistes réussissaient à utiliser intelligemment cette offensive en la soutenant pour l'orienter contre l'Occident, sans faire eux-mêmes le moindre effort d'assistance économique sérieuse, les pays occidentaux avaient dû céder sur quelques points. Ils avaient accepté quelques traitements de faveur sur le plan commercial, ouvert une ou deux « fenêtres » [4] au Fonds monétaire internatio-

---

4. Facilités spéciales de crédit accordées par le Fonds monétaire international à certains pays.

nal, reconnu la nécessité d'augmenter progressivement le montant de leur aide publique au développement, approuvé avec beaucoup de réserves les grandes résolutions de l'Assemblée générale sur les stratégies internationales et sur le nouvel ordre économique. Mais ils avaient surtout résisté avec une mauvaise humeur croissante à l'offensive idéologique qui les culpabilisait en affirmant que le sous-développement était le résultat de l'oppression colonialiste. Ils avaient donc été acculés à la défensive, poussés dans la position inconfortable d'avoir à refuser des revendications que la pauvreté et la misère du tiers monde semblaient justifier, contraints d'accepter peu ou prou une idéologie globale plus dirigiste et socialisante que libérale.

Et voici que ce sont ces mêmes pays, guidés par le plus puissant d'entre eux, qui passent à l'offensive en proposant de modifier les processus de décision, tout en utilisant efficacement les organisations de Bretton Woods où ils détiennent la majorité pour imposer aux pays débiteurs les politiques d'ajustement qui leur semblent souhaitables et en commençant à constituer en dehors de l'ONU un système de gestion collective de l'économie mondiale dont le tiers monde est exclu.

En d'autres termes, les positions occidentales ont maintenant évolué de façon décisive ; la découverte des contraintes de l'interdépendance a créé le besoin d'un système planétaire de coordination économique et politique que l'on a commencé à constituer en dehors de l'ONU. On a utilisé pour cela non seulement les organisations financières mondiales mais les possibilités offertes par l'intégration progressive sur le plan régional en Europe occidentale, sur le plan intercontinental par l'OCDE, et surtout par l'institution des sommets réguliers entre l'Amérique, l'Europe et le Japon. Ce schéma s'est complété par les sommets entre les deux super-grands pour traiter du contrôle des armements et de quelques autres problèmes communs.

L'extension expérimentale (faite une seule fois à Cancun en 1981) des sommets occidentaux à quelques représentants des principaux pays en voie de développement a montré dans quel sens l'Occident pourrait éventuellement permettre à ce système de consultation de s'étendre à l'avenir en combinant les rencontres au plus haut niveau avec une représentation liée à l'importance des partenaires : quelques grands pays du Sud seraient admis à discuter, en considération de leur puissance ; les autres seraient exclus.

La construction progressive de ce système potentiellement concurrent de celui de l'ONU et bâti sur de tout autres principes est facilitée par le développement d'une « bonne conscience » occidentale qui n'hésite plus à souligner les défauts des gouvernements du tiers monde, à parler d'absence de démocratie ou de corruption, qui insiste davantage sur la lutte contre la pauvreté que sur le développement, qui invoque plus volontiers les droits de l'homme que les droits des peuples ou des États.

L'offensive de la droite américaine

Pour l'opinion publique des pays riches, sensibilisée par l'image composite et confuse que lui proposent les médias, le tiers monde, ce sont à la fois le désordre et les abus, l'absence de démocratie, les violations des droits de l'homme, l'accroissement démographique, l'invasion lente des travailleurs migrants et des clandestins, l'intégrisme, les risques créés par les guerres locales ou par les régimes marxistes ou révolutionnaires.

Il y a sans doute à cet égard quelque différence d'accent entre l'Amérique et l'Europe. Mais, dans l'ensemble, les pays pauvres du Sud tendent à apparaître de plus en plus comme une source d'instabilité et comme une menace, ce qui crée logiquement le désir d'y parer en se dotant des moyens de contrôle nécessaires.

Cela explique que les gouvernements occidentaux reflètent ces préoccupations et que l'idée de reprendre le contrôle de l'ONU soit l'un des éléments de leur stratégie d'ensemble. Il n'y a rien d'étonnant à ce que les gouvernements des pays en voie de développement éprouvent quelque perplexité devant cette offensive : la droite américaine en est le fer de lance, mais les modérés en Amérique et en Europe ne la désapprouvent pas, et les pays socialistes s'y associent pour l'essentiel à l'ONU. On peut s'expliquer qu'il faille quelque temps aux diplomates du « groupe des 77 » pour distinguer les vrais problèmes des mauvaises raisons, pour admettre que les choses ont changé, pour remettre en question les positions confortables et les idées sur lesquelles ils vivaient depuis plusieurs décennies.

Il n'y a donc pas à s'étonner que l'un des phénomènes les plus marquants dans le déroulement de la crise interne de l'ONU soit justement la scission du « groupe des 77 », avec, d'un côté, les pays d'Asie et d'Amérique latine qui acceptaient en général les propositions occidentales et soviétiques pour la création d'un comité du programme et du budget et, de l'autre, l'ensemble des pays africains (soutenus pour des raisons de principe par la Chine) qui refusaient en bloc tout changement notable et justifiaient leur attitude par le refus de céder au « chantage américain ».

Cette divergence d'attitude, qui s'est manifestée clairement au sein du « groupe des 18 »[5] et qui s'est maintenue avec quelques variantes au sein de l'Assemblée générale, se prolonge dans les différences de perception au sujet de la conception d'ensemble de ce que pourrait être à l'avenir le dialogue Nord-Sud. Il va donc falloir du temps pour que, de la confusion actuelle, se dégagent les conditions d'un nouveau dialogue. Dans tous les camps, une reconversion des idées reçues à divers niveaux de profondeur est devenue nécessaire. Mais l'on peut dès maintenant apercevoir quelques éléments essentiels.

La question de la représentation des États

Le premier est que le problème posé par la coexistence, dans un monde de plus en plus interdépendant, de pays post-industriels de plus en plus riches et de zones agropastorales très pauvres et surpeuplées ne pourra être éludé. Il ne s'agit pas seulement du problème moral posé par les conditions inacceptables faites à des centaines de millions d'êtres humains ; il s'agit des problèmes politiques que pose inévitablement au monde riche l'évolution de ce prolétariat traité jusqu'ici comme « extérieur », mais qui devient de plus en plus

---

5. Les trois solutions différentes proposées par le groupe pour la procédure budgétaire étaient soutenues, la première par les experts occidentaux, asiatiques et latino-américains, la deuxième par les experts africains, chinois et yougoslaves, la troisième (version renforcée de la première) par les experts soviétiques et argentins.

« intérieur » en s'intégrant, avec tous ses problèmes, dans la société mondiale de demain.

Le deuxième élément est que la question de la représentation des États au sein de l'organisation mondiale est posée et qu'il ne sera pas possible non plus de l'éluder encore longtemps. Ce dont il est question à travers les discussions actuelles sur les méthodes de décision budgétaire, c'est bien de la compatibilité du respect de l'« égalité souveraine des États », qui se traduit par l'équation « un État = une voix » à l'Assemblée générale, et d'une prise en compte raisonnable de l'importance respective de chacun des partenaires.

Il s'agit là d'un problème classique de droit constitutionnel, auquel les constitutions d'États fédéraux ont apporté des réponses en organisant des systèmes équilibrés qui tiennent compte à la fois de l'existence des entités étatiques et de leur importance — par exemple par le bicaméralisme [6]. Ce problème se pose aujourd'hui à l'échelle mondiale, parce que la Charte ne lui a pas apporté de réponse, notamment sur le plan économique.

Le troisième élément est le changement de perception des problèmes qui se posent au Sud. Dans le cadre général de l'interdépendance mondiale, on commence à reconnaître une spécificité à l'interdépendance Nord-Sud. Jusqu'ici, il s'agissait d'une relation entre pays revendicateurs et pays nantis. Un glissement est en train de s'effectuer dans le sens d'une relation entre partenaires.

---

6. Dans la Constitution américaine, par exemple, la représentation des États au Sénat est assurée par deux sénateurs pour chaque État, celle à la Chambre des représentants, par un nombre de députés élus en proportion de la population.

C'est assez clair dans le traitement de la dette du tiers monde. Il n'y a plus aujourd'hui de créancier important qui puisse accepter la faillite d'un débiteur important. L'approche qui a été adoptée à la conférence spéciale sur la situation critique en Afrique, en mai 1986[7], est allée dans le même sens : reconnaissance de l'intérêt mondial présenté par une situation locale et solidarité spécifique à l'égard des problèmes posés. L'évolution des idées au sujet des questions de population ou d'environnement va aussi dans le sens de l'identification de problèmes ayant des aspects différents pour les partenaires, mais qu'il faut résoudre ensemble parce qu'ils sont communs.

Ces éléments nouveaux posent, au Nord comme au Sud, des questions auxquelles il faudra répondre. La première est celle de savoir si « la prise de contrôle » de l'ONU a un sens. Si l'on reconnaissait que tel n'est pas le cas, un progrès important serait possible pour l'établissement d'un dialogue utile. L'idée qu'une organisation mondiale peut « prendre des décisions » n'est sans doute pas encore complètement dissipée. Mais l'expérience quotidienne apprend que les résolutions de l'Assemblée générale ou du Conseil de sécurité sont sans conséquences, que l'ONU ne prend jamais, comme le Fonds monétaire international par exemple, de décisions ayant des effets directs et contraignants sur la politique des pays, qu'en définitive une organisation politique mondiale ne peut réellement servir qu'à organiser des discussions et des négociations sur les problèmes mondiaux.

---

7. Le comité préparatoire de la conférence était présidé par Edgard Pisani.

Un système de responsabilité collective

Or on ne prend pas le contrôle d'une table de négociations. En revanche, si l'on souhaite qu'elle fonctionne utilement, il faut l'organiser de manière telle que tous les États acceptent d'y participer réellement. Et l'on sait bien que tel n'est pas le cas actuellement, puisque tous les grands pays négocient les problèmes de quelque importance en dehors de l'ONU. Or nul n'a intérêt à ce qu'il en aille ainsi définitivement.

L'étude en profondeur de la structure de la machinerie intergouvernementale dans le domaine économique et social a été recommandée par le « groupe des 18 » [8], ce qui montre bien que l'on commence à prendre conscience du fait que la « forme de la table » et le choix des partenaires appelés à s'y asseoir pourraient avoir une grande influence sur le contenu et l'issue des négociations elles-mêmes. L'idée qu'un « conseil de sécurité économique », au nombre de membres restreint, où les grands pays seraient représentés par eux-mêmes et les petits pays par des représentants choisis par eux, de préférence sur une base régionale, pourrait devenir l'organe central pour ce genre de négociations, progresse lentement dans les esprits [9].

La deuxième question qui résulte de l'évolution des faits et des idées est celle de la philosophie d'ensemble

---

8. Recommandation n° 8 du rapport du groupe. L'Assemblée générale en a confié l'étude au Conseil économique et social.

9. Document des Nations unies A/40/988, *Contribution à une réflexion sur la réforme des Nations unies* (novembre 1985) ; documents du forum parlementaire aux Nations unies de l'association Parliamentarian Global Action ; communication de Joop Den Uyl (novembre 1986) ; Stanley Foundation, conférence sur les Nations unies de la troisième décennie (Québec, juillet 1986).

qui doit présider à la coopération Nord-Sud. Celle qui est acceptée aujourd'hui est faite d'un mélange de respect absolu de l'indépendance et de la souveraineté nationale de chaque pays, et de « non-alignement ». Elle semble avoir été inventée pour permettre :

— de ne pas discuter — en vertu du principe de la non-ingérence dans les affaires intérieures d'un État — de la légitimité des régimes politiques, du degré de démocratie qu'ils tolèrent, du niveau de respect des droits de l'homme qu'ils observent ;

— de dispenser les pays riches d'assumer une responsabilité quelconque à l'égard des problèmes sociaux qui se posent dans les pays pauvres ; chaque pays riche a son système de sécurité sociale, mais, à l'échelle mondiale, on peut en rester, avec les divers systèmes d'« aide », à la pratique de la charité.

Cette philosophie protège trop d'intérêts pour qu'elle soit facilement remise en question. Elle est en revanche totalement inadaptée aux problèmes du monde moderne, et il ne sera pas possible de donner un contenu au nouveau dialogue Nord-Sud tant qu'elle régnera. Les problèmes de demain, en particulier ceux posés par le développement exponentiel des prolétariats urbains dans les pays pauvres, le développement des intégrismes ou des idéologies qui exprimeront les revendications de ces prolétariats, l'accroissement irrésistible des migrations Sud-Nord, ne pourront être résolus sans que soit établi un système de responsabilité collective permettant de contrôler ces phénomènes.

C'est dire que ce nouveau dialogue Nord-Sud, qui vient de s'ouvrir timidement, ne pourra se développer sans une profonde reconversion intellectuelle, à l'Ouest comme à l'Est, et surtout au Sud.

17

Ouvertures soviétiques

*Par Maurice Bertrand**

A la fin de 1987, l'Union soviétique a à peu près complètement renversé ses positions aux Nations unies. Pourtant très occupée par la *perestroïka*, le désarmement nucléaire et les péripéties des sommets, la presse n'avait pas alors accordé beaucoup de place à l'événement. La présence de Mikhaïl Gorbatchev, en décembre 1988, à l'Assemblée générale des Nations unies a cependant illustré l'ampleur du tournant.

Pratiquement, depuis la naissance de l'ONU, l'Union soviétique s'est toujours méfiée d'une organisation où les pays socialistes ne représentent qu'une minorité. Elle n'a jamais cherché à développer ses activités, a toujours critiqué ses dépenses exagérées et les traitements trop élevés de ses fonctionnaires. Elle ne s'est pas intéressée à ses programmes économiques, n'a pas participé à ses programmes d'aide multilatérale à un niveau comparable à celui des Occidentaux, en prétextant que le sous-développement était le résultat de l'exploitation

* Ancien membre du Corps commun d'inspection des Nations unies.

coloniale. Elle n'a pas contribué financièrement à la plupart des opérations de « maintien de la paix », soutenant que certaines d'entre elles étaient illégales (opérations du Congo en 1962-1964, en particulier) ; elle a déduit régulièrement de ses contributions obligatoires les montants correspondant aux activités qu'elle n'approuvait pas ; elle s'est toujours refusée à utiliser la Cour internationale de justice (bien qu'elle en soit membre), s'est opposée au concept occidental de « fonction publique internationale », et s'est efforcée, de façon générale, d'utiliser l'organisation seulement comme forum de propagande auprès des pays du tiers monde.

Depuis le mois de septembre dernier, cette politique a été renversée sur un grand nombre de points. Sur le plan des principes, un article de Mikhaïl Gorbatchev publié par la *Pravda* et les *Izvestia* le 27 septembre 1987 [1] a indiqué que l'URSS entendait désormais soutenir l'ONU et contribuer au développement de son rôle. « Notre monde complexe et divers, lit-on en début de l'article, est en train de devenir, par une évolution inévitable, de plus en plus interrelié et interdépendant. Et ce monde a de plus en plus besoin d'un mécanisme capable de permettre la discussion des problèmes communs d'une manière responsable et à un niveau convenable de représentation. Ce mécanisme doit permettre la recherche mutuelle pour l'établissement d'un équilibre entre les intérêts différents, contradictoires et pourtant réels de l'actuelle communauté des États et de ses nations. L'ONU est appelée à être ce mécanisme par

1. Mikhaïl Gorbatchev, *Réalités et garanties pour un monde plus sûr*, publications de l'agence de presse Novosti, Moscou, 1987.

les idées sur lesquelles elle a été construite et par son origine, et nous sommes confiants qu'elle est capable de remplir un tel rôle... »

Cette déclaration de principe est assortie de propositions développées dans l'article lui-même et dans les déclarations ultérieures faites à l'ONU, par V.F. Petrovsky, ministre adjoint des Affaires étrangères et par M. Gorbatchev lui-même [2], qui tendent :

— soit à l'ouverture de négociations multilatérales, comme : la reconnaissance de la juridiction obligatoire de la Cour internationale de justice (les membres permanents du Conseil de sécurité devant faire les premiers pas dans cette direction) ; le développement de l'utilisation des observateurs militaires des Nations unies et de celle des forces de maintien de la paix pour faciliter le désengagement des troupes opposées dans des conflits et garantir les accords de cessez-le-feu et d'armistice ; le développement du soutien accordé au secrétaire général de l'ONU ; la tenue de sessions du Conseil de sécurité au niveau ministériel ; l'extension de la coopération entre l'ONU et les organisations régionales pour faciliter le règlement politique des situations de crise ; la création d'une agence mondiale de l'espace ; la création d'un réseau de coopération médicale dans le cadre de l'Organisation mondiale de la santé (OMS).

— soit à des études en commun en vue de : l'établissement d'un « système complet de sécurité internationale » (création d'une commission indépendante

---

2. Discours prononcé le 7 octobre 1987 par V.F. Petrovsky, ministre adjoint des Affaires étrangères de l'URSS, dans le débat général de la deuxième commission de l'Assemblée générale de l'ONU. Discours de M. Gorbatchev à l'Assemblée générale des Nations unies le 7 décembre 1988.

d'experts et de spécialistes qui soumettrait ses conclusions à l'ONU); la comparaison des montants des dépenses militaires des divers pays; la définition des mesures à prendre en cas de violation des accords sur la non-utilisation des armes nucléaires et au sujet des possibilités de piraterie nucléaire; l'examen collectif des propositions existantes concernant la réforme de l'ONU et de son système; l'ouverture d'un dialogue sur la restructuration du système monétaire international; la création d'un conseil consultatif rassemblant les élites intellectuelles mondiales; l'établissement au sein de l'ONU d'un système permettant d'identifier à l'avance les nouveaux problèmes qui se manifestent dans l'économie mondiale; le renforcement de la contribution de l'Union soviétique au développement en fonction des progrès des mesures de désarmement; l'établissement d'un système mondial d'information capable de faire disparaître les stéréotypes d'« images de l'ennemi », etc.

Cette abondance de propositions interreliées avec d'autres suggestions faites en d'autres occasions — comme celle qui concerne la suppression de l'inégalité possible entre les forces conventionnelles du pacte de Varsovie et celles de l'OTAN — est présentée dans le cadre d'ensemble de l'établissement d'« un système complet de sécurité internationale » « tendant à la complète élimination des armements nucléaires » et permettant de se mettre d'accord sur « des mécanismes de maintien de la paix à des niveaux réduits d'armements non nucléaires » « fonctionnant sur la base de la Charte et dans le cadre de l'ONU ».

Ces articles et discours ont été accompagnés d'une

série de mesures qui ont commencé à donner quelque crédibilité à ce programme ambitieux : en juillet 1987, à la réunion de la Conférence des Nations unies sur le commerce et le développement (CNUCED), à Genève, l'Union soviétique a adhéré au Fonds commun des matières premières [3] ; en octobre 1987, la contribution obligatoire de l'Union soviétique à l'ONU était intégralement payée, et promesse était faite de verser en trois tranches successives tous les arriérés de contribution soviétiques aux dépenses des forces de maintien de la paix (175 millions de dollars). A la même époque, l'Union soviétique adoptait une attitude conciliante et pro-européenne à l'occasion de l'élection du nouveau directeur général de l'UNESCO, facilitait les opérations de mise en œuvre de la convention sur le droit de la mer et, d'une manière générale, adoptait dans la plupart des instances onusiennes une attitude coopérative.

Enfin, les représentants soviétiques laissaient entendre volontiers que, après avoir demandé, en vain jusqu'ici en raison de l'opposition des États-Unis, leur admission à l'Accord général sur les tarifs douaniers et le commerce (GATT) et à l'Accord multifibre, ils envi-

---

3. L'accord sur le Fonds commun des matières premières a été conclu à Genève le 27 juin 1980 sous l'égide de la CNUCED (document des Nations unies TD/IPC/CF/CONF/24 du 28 juillet 1980). Le Fonds doit permettre d'atteindre les objectifs du programme intégré des matières premières de la CNUCED et aider à la conclusion d'accords internationaux sur chacune des matières premières, pour contribuer à la stabilisation des prix. L'accord ne pourra commencer à fonctionner qu'après sa ratification par quatre-vingt-dix États et quand certaines conditions financières seront remplies. Au mois de mai 1987, l'accord avait été ratifié par quatre-vingt-douze États, mais les conditions financières n'étaient pas remplies. Les États-Unis n'ont pas signé l'accord. L'entrée de l'URSS ne suffit pas à permettre le démarrage des opérations, mais il est vraisemblable qu'il deviendra possible prochainement.

sageraient volontiers d'adhérer au Fonds monétaire international (FMI) et à la Banque mondiale à des conditions à définir, ajoutant que la mise en œuvre de mesures tendant à rendre le rouble convertible était étudiée.

En présence d'une « offensive » de cette ampleur les chancelleries occidentales ont en général adopté une attitude de *wait and see*. Une admiration certaine pour l'art avec lequel cette offensive est menée (au moment où l'administration américaine perd tout moyen d'influence à l'ONU parce qu'elle ne peut obtenir du Congrès l'autorisation du paiement de sa contribution) se combine avec un sentiment d'inquiétude au sujet de ce que pourraient cacher les formules utilisées. La délégation française n'est pas loin de penser que le concept de « système complet de sécurité international » pourrait être une méthode enveloppante pour contraindre moralement la France à l'abandon de sa force de frappe. Toutes les délégations européennes ne sont pas aussi méfiantes, mais leur solidarité avec les États-Unis les empêche de proposer aux Soviétiques d'examiner même les projets relativement précis. Les pays en voie de développement attendent de leur côté...

Tel n'est pas le cas, en revanche, d'une grande partie de l'*intelligentsia* occidentale, chez qui apparaissent même quelquefois des mouvements d'enthousiasme un peu naïfs. Il reste que nombre d'experts sont intéressés : il ne manque pas de professeurs de droit qui souhaiteraient être consultés sur le renforcement du rôle de la Cour internationale de justice. Les milieux libéraux américains pensent qu'il faut aider l'équipe Gorbatchev à préciser plusieurs projets, et de nombreux esprits en Europe, en Allemagne fédérale en particulier, sont du même avis.

Il reste que, en dépit de sa richesse, le dossier soviétique comporte encore beaucoup de lacunes. Rien de précis n'a encore été dit sur les conditions, la nature et le montant d'une participation éventuelle de l'Union soviétique à l'aide multilatérale au développement, ni sur sa conception d'une réforme de l'ONU et de son système. Le problème d'une participation de l'Union soviétique aux organisations de Bretton Woods et de sa contribution à une réforme du système monétaire international exige des études approfondies, notamment sur le développement des courants commerciaux entre pays à systèmes économique et social différents.

Le nouveau type de collaboration envisagé, au sein d'organisations mondiales revivifiées, entre le monde capitaliste et le monde socialiste exige aussi que les concepts utilisés de part et d'autre soient clarifiés et comparés, pour que des négociateurs éventuels donnent le même sens aux mots utilisés. Ce n'est pas uniquement en matière militaire que ces problèmes sémantiques ont une importance essentielle : tel est aussi le cas en matière de « sécurité économique et sociale » ou de « fonction publique internationale ».

L'Ouest *et* le Sud devraient enfin, de leur côté, se préparer à examiner et à préciser les changements qu'ils seraient prêts à accepter dans la conception et la structure de l'ONU et des autres organisations mondiales pour les rendre plus aptes à faciliter la collaboration entre régimes différents.

C'est dire qu'un travail considérable devra être accompli. Reste à trouver une méthode — de préférence au sein des organisations mondiales existantes — pour que les nombreux éléments de ce dossier soient, pour l'instant au moins, au niveau des experts, pris en considération et précisés.

18

Du bon usage de la dette

*Par René Lenoir**

La Banque mondiale vient de le reconnaître : les solutions mises en œuvre jusque-là pour résoudre le problème de l'endettement ont fait faillite. Et les gouvernements occidentaux semblent paralysés face à cette bombe à retardement. En France, la Caisse des dépôts et consignations a cependant le mérite de montrer une voie, en proposant le couplage des épargnes du Nord et du Sud.

Au total, la dette du tiers monde dépassait déjà 1 200 milliards de dollars à la fin de l'année 1988. Les initiatives en ordre dispersé pour surmonter les énormes difficultés qui en découlent, tant pour les créanciers que pour les débiteurs, montrent que les rapports Nord-Sud

* Ancien ministre, auteur de *Le Tiers monde peut se nourrir*, Fayard, Paris, 1984.

sont en train d'échapper, eux aussi, à la logique financière. Et cette évolution compromet toute solution constructive à plus long terme.

Au Sud, des pays décident unilatéralement un moratoire — c'est le cas de la Côte-d'Ivoire — ou, comme le Brésil, limitent les remboursements à un pourcentage des exportations. Les négociations avec le Fonds monétaire international (FMI), de plus en plus âpres, sont rompues, puis reprises : ainsi au Pérou.

Au Nord, le Club de Paris impose un minimum de cohérence aux prêts bilatéraux d'État à État. Mais les banques privées, qui ont dû provisionner des sommes considérables (plusieurs milliards de dollars) [1], ne sont pas prêtes à s'engager plus avant et cherchent à tirer leur épingle du jeu. Elles essaient soit de vendre leurs créances au rabais *(buy-back plans)*, soit de les convertir en participations *(debt-equity swaps)*. La première méthode aboutit à une détérioration du bilan, à laquelle les actionnaires sont sensibles. La seconde ne peut se pratiquer qu'à petites doses si l'on ne veut pas que le capital social des entreprises des pays en voie de développement passe aux mains des banques du Nord. Ni l'une ni l'autre de ces formules n'est applicable aux pays les plus démunis, dits pays les moins avancés (PMA).

---

1. La Citicorp, première banque des États-Unis, avait annoncé le 19 mai 1987 qu'elle provisionnait 3 milliards de dollars pour créances douteuses. Elle fut suivie par la Chase Manhattan Bank (1,6 milliard de dollars, le 27 mai) ; d'autres institutions financières des États-Unis et de Grande-Bretagne leur ont emboîté le pas.

Recycler une fraction des intérêts

La vente d'une créance avec décote à un investisseur — un industriel désireux de s'implanter dans un pays en voie de développement — présente, pour le pays débiteur, l'avantage d'un allégement de sa dette extérieure et d'une relance de l'investissement ; mais aussi le danger d'une création monétaire alimentant l'inflation (car le rachat s'effectue en monnaie locale). Elle n'est pratiquée qu'à une échelle modeste (2 milliards de dollars au Mexique, soit un cinquantième de la dette).

Il est aussi proposé de rembourser la dette en exportant des produits *(debt for export swaps)* : mais une telle solution rend difficile le respect des accords commerciaux et prive le pays débiteur de devises pour rembourser d'autres créanciers. Ces pratiques disparates ne sont pas à la mesure de l'enjeu.

En France, la Caisse des dépôts et consignations (CDC), sensible, par la nature même de ses activités, aux problèmes de collecte et de transformation de l'épargne, a demandé à R.W. Lombardi, conseiller américain en gestion bancaire, auteur du livre *Le Piège bancaire* [2], un rapport sur le couplage de l'épargne du Nord avec celle du Sud. Remis fin octobre 1987, ce rapport, élaboré en liaison avec quelques experts de la CDC, propose une approche mieux coordonnée de la dette, son recyclage partiel au Sud et son couplage avec l'épargne locale grâce à des instruments nouveaux gérés paritairement. Comment s'opérerait ce recyclage-couplage ?

---

2. Richard W. LOMBARDI, *Le Piège bancaire*, Flammarion, Paris, 1985, (voir *Le Monde diplomatique* de septembre 1985).

Pour chacun des plus gros pays débiteurs (une quinzaine), les créances seraient centralisées dans un organisme ultra-léger, sorte de chambre de gestion de la dette qui pourrait servir de lieu d'échanges de titres. Mesure d'hygiène destinée à mieux connaître les composantes de la dette et affirmation d'une démarche concertée à l'opposé du chacun-pour-soi.

Les créanciers accepteraient de recycler dans le pays débiteur une fraction des intérêts dus, de l'ordre du tiers. Ce recyclage serait encouragé par quelques compensations fiscales. La masse ainsi dégagée — flux Sud-Nord renversé en flux Nord-Sud — serait utilisée pour partie au financement du commerce international, *via* le secteur bancaire local, et pour partie en investissement (les simulations faites donnent 1/3-2/3 au Maroc et en Côte-d'Ivoire, et 1/2-1/2 au Brésil).

Dans chacun de ces pays seraient constitués deux fonds d'investissement, l'un pour les infrastructures et équipements collectifs, l'autre pour le développement du secteur productif. Ces fonds seraient alimentés par conversion d'une partie de la dette en actions nouvelles. Ils seraient gérés paritairement par les autorités du pays et par les créanciers. Ces derniers s'estimeraient plus ou moins forcés de remettre de l'argent dans les circuits du Sud mais sans être assurés qu'il sera mieux utilisé que par le passé. Une concertation permanente serait de nature à introduire plus de rigueur et à réamorcer des flux Nord-Sud.

Par quels canaux les décisions prises au niveau de ces fonds s'exécuteraient-elles ? Pour une part, *via* les canaux financiers existants ; mais, pour une autre, *via* des outils *ad hoc* que le rapport appelle intermédiaires financiers locaux (IFL).

Une reprise de l'investissement productif

L'innovation est de taille. Il s'agit de prendre acte de l'échec de procédures classiques dans certains domaines — création de PME, crédit aux paysans, collecte de l'épargne — et du relatif succès d'autres méthodes initiées par des organisations non gouvernementales (ONG). Dans chaque pays seraient créés plusieurs IFL de taille et de composition variables, avec mission d'appliquer des recettes ayant fait leurs preuves. A titre d'exemple, la Grameen Bank du Bangladesh, devenue l'une des plus fortes banques agricoles du monde, est née de la mise en œuvre de la solidarité de voisinage, une caution mutuelle de village se substituant aux garanties foncières impossibles à produire.

Le rapport préconise en outre l'extension de la technique des *Floating Rate Notes* (FRN'S). La banque centrale du pays débiteur émettrait ces titres, qui seraient souscrits par apports de créances parapubliques. Le principal effet serait la transparence de la dette, devenue publique, facilement identifiable, et la simplification de sa gestion ; toutes les créances seraient traitées de la même façon, après négociation d'un intérêt convenable. La liquidité de la dette serait accrue.

Quelle chance cette proposition a-t-elle d'être acceptée par les partenaires et d'être appliquée ?

Au Nord, la position des prêteurs multinationaux, bilatéraux et des banques commerciales ne sera pas forcément la même. Mais tous se sentent responsables de l'excès de crédit accordé aux pays en voie de développement. Tous savent qu'il vaut mieux réinvestir des intérêts, même à risque, que remettre en cause le principe même du remboursement de la dette. Tous cher chent le moyen d'assurer une utilisation plus judicieuse et plus circonspecte des ressources mises à la disposition des pays du tiers monde.

Mais ceux-ci, justement, ne vont-ils pas regimber devant cette conditionnalité accrue que représente la gestion paritaire des fonds d'investissement ? On trouve dans le rapport une simulation pour trois pays (Maroc, Côte-d'Ivoire et Brésil) : ces fonds représenteraient moins de 10 % des investissements. Il n'y a pas là de quoi mettre en péril la souveraineté d'un État. Les prêts d'ajustement structurels font déjà peser une conditionnalité du même ordre, sinon qu'elle est probablement moins bien ajustée, faute d'outils de mise en œuvre. Par ailleurs, la plupart des pays en voie de développement peuvent aussi battre leur coulpe, une partie des prêts ayant servi à constituer des fortunes colossales, placées bien entendu à l'étranger.

Enfin, quand on est en stagnation, comment refuser une reprise de l'investissement productif accompagnant un allégement de la dette ?

Si donc, comme il est possible, l'accueil de la communauté bancaire et celle des pays du tiers monde concernés est favorable à la proposition, les prêteurs multinationaux et bilatéraux s'associeront, d'une façon ou d'une autre, à sa mise en œuvre. Celle-ci, il ne faut pas se le cacher, supposera que soient surmontés, dans certains cas, des obstacles non négligeables. Aux États-Unis, par exemple, le recyclage partiel des intérêts de la dette bilatérale s'analyse comme une aide supplémentaire que le Congrès devra voter. D'où l'importance de l'intérêt que le FMI et les autorités monétaires prêteront à la proposition. Le risque est grand qu'elle reste sans suite si aucune institution ou aucun gouvernement ne prend l'initiative du débat.

Avec qui constituer les intermédiaires financiers locaux ? La mise en œuvre de cette innovation n'ira pas sans difficultés. Ces IFL auront pour objet de mettre en relation les petites et moyennes entreprises, les coopératives et les groupements d'épargne locaux avec les secteurs de l'économie moderne, ce qui revient à rendre la population active apte à saisir la nature de l'investissement et à dominer les techniques du commerce. Cet objectif ne peut être atteint sans une intermédiation financière appropriée et sans des services de conseils et de suivi.

Concertation plus étroite entre le Nord et le Sud

Alimentés par les fonds d'investissement, mais aussi par les banques commerciales et les banques de développement, les intermédiaires financiers locaux consacreraient environ les trois quarts de leurs ressources à des prêts avec un ratio dette/fonds propres prudent (6/1) et le reste à des prises de participation, en dessous du seuil d'intervention habituel des sociétés financières et des banques de développement.

La difficulté sera de trouver les équipes capables de faire fonctionner les intermédiaires financiers locaux. Les organisations non gouvernementales performantes dans ce domaine sont en nombre limité. Elles devront, en période de démarrage, s'appuyer sur des sociétés d'ingénierie financière et, pour la technologie bancaire, sur un correspondant local.

Les dispositions du rapport Lombardi ne pourraient

évidemment pas régler par elles-mêmes le problème du manque de ressources d'investissement au Sud dû, entre autres, à la détérioration des termes de l'échange. Mais elles auraient au moins trois mérites :

— amener au Nord, et entre le Nord et le Sud, à une concertation plus étroite et, par là même, à un changement de climat du dialogue ;

— relayer la lourde artillerie des grandes sociétés multinationales et nationales, et de la société financière internationale, par du travail « en dentelle », le seul à même de développer ce tissu de PME, tant urbaines que rurales, qui fait tant défaut au Sud ;

— montrer la possibilité de mieux orienter l'épargne locale vers des activités productives aux mains des habitants des pays concernés.

19

Une nécessaire mutation

Par Jacques Decornoy

Amorce de règlement des conflits régionaux, décision soviétique de réduire ses forces conventionnelles, assiste-t-on enfin à un grand bond en avant des initiatives de paix? Le discours de Mikhaïl Gorbatchev à l'ONU en décembre 1988 le laisse penser, mais aucune solution durable ne sera apportée aux problèmes de l'humanité sans une réflexion sur la notion même de développement, sans une mutation de notre civilisation.

Têtues, les réalités finissent par s'imposer aux hommes égarés dans l'art stérile de l'impossible. 8 décembre 1987 : MM. Reagan et Gorbatchev brisaient un engrenage fou vieux de quatre décennies et, en signant le traité sur l'élimination des forces nucléaires intermédiaires, amorçaient une politique de désarmement. 7 décembre 1988 : le dirigeant soviétique, devant l'Assemblée générale des Nations unies, annonce le retrait partiel de forces conventionnelles d'Europe et de Mongolie. Quelques jours plus tard, à la suite de déclarations de Yasser Arafat jugées positives à propos d'Israël et du terrorisme, les Américains entament à Tunis des négociations avec l'OLP.

Désarmement, Proche-Orient... Ces deux problèmes étaient naguère synonymes de blocage. Or, s'ils deviennent sujets réels d'entente, c'est qu'ils participent d'un même mouvement général, d'une même dynamique planétaire. De décembre 1987 à décembre 1988, on a assisté à une révision déchirante de Moscou en Afghanistan, à la fin du conflit entre l'Irak et l'Iran, à l'accord sur l'Angola et la Namibie, au retrait accéléré des Vietnamiens du Cambodge et du Laos, aux tractations entre le régime de Managua et une *Contra* en déconfiture, cependant que naissait l'espoir d'un règlement du conflit au Sahara occidental et qu'était convoquée une conférence sur les armes chimiques.

Au cœur de ce remue-ménage, le dialogue soviéto-américain — mais il n'explique pas tout et ne saurait faire oublier d'autres évolutions complémentaires ou concomitantes : entretiens Gorbatchev-Rajiv Gandhi, négociations entre Pékin et New-Delhi, sommet sino-soviétique, relance du projet de traité de paix entre le Japon et l'URSS, comblement du fossé séparant Taïwan de la Chine populaire, accord entre l'Est européen et la CEE. Ainsi s'éteignent, ou paraissent être en voie d'être maîtrisés, des incendies résultant, pour la plupart, de la Seconde Guerre mondiale et de la tension Est-Ouest qui s'ensuivit, ainsi que de la décolonisation.

Un « nouvel ordre mondial »

L'époque a vécu où Mao pouvait comparer les forces, par lui jugées inégales, du vent d'Est et du vent d'Ouest. La lame de fond qu'animent les intérêts conjugués, sinon toujours convergents, de Washington et de Moscou vient d'atteindre, après plusieurs autres, le conflit régional qui semblait hors de sa portée : celui du Proche-Orient. Les deux grands font un pas de plus sur le sentier de la paix. Leur stratégie d'État heurte, quand elle ne les sacrifie pas, des alliés qui crurent à tort en l'éternité d'un contrat temporaire. Les Soviétiques négocient, loin de Kaboul, avec une résistance afghane qu'ils n'ont pas vaincue. Les Américains suscitent la colère d'Israël et discutent avec une organisation dont le chef est jugé plus menteur que Goebbels par M. Shamir. Une évolution mûrie par la reprise, à petits pas d'abord par l'intermédiaire de pays de l'Est, puis directement, du dialogue de Moscou avec Jérusalem. Ainsi Israël se trouve inséré dans une action diplomatique de grande envergure destinée à crever un abcès dont l'Intifada a souligné, pour qui l'aurait oublié, la gravité.

Si les États-Unis ne misent plus guère sur la *Contra* nicaraguayenne (une obsession que Ronald Reagan paya cher) ni sur l'UNITA angolaise ; si l'Union soviétique brade l'héritage brejnévien à Kaboul, prie les dirigeants de Hanoï de s'intéresser davantage au Vietnam qu'à l'Indochine ; si les deux super-puissances s'entendent pour penser que deux États doivent cœxister sur les rives du Jourdain ; si Mikhaïl Gorbatchev conseille à Rajiv Gandhi de liquider le contentieux sino-indien et ne considère plus le statut des îles Kouriles du Sud comme un sujet tabou, c'est que les impératifs de demain doivent l'emporter sur les querelles d'une époque révolue.

Il fut un temps où l'on mourait pour quelques arpents sur les berges du fleuve Amour, dans la chaîne himalayenne, sur les îlots de Quemoy et de Matsu. Aujourd'hui, les travailleurs chinois se rendent en Sibérie ; des hommes d'affaires taïwanais investissent à Pékin ; leurs collègues sud-coréens commercent en Europe de l'Est ; les capitaux thaïlandais et indonésiens s'intéressent de fort près au Vietnam. L'Asie bouge, comme le reste du monde, avec quelques longueurs d'avance.

Commentant le discours à l'ONU du président soviétique, un observateur américain écrit de prime abord : « Une grande partie de la première moitié du XXᵉ siècle a été dominée par les spasmes mortels d'un système international fondé sur des alliances européennes changeantes. Les quarante années suivantes ont été façonnées par la lutte entre deux superpuissances rivales pour la suprématie militaire et idéologique aux quatre coins d'un monde décolonisé. Aujourd'hui, Mikhaïl Gorbatchev apparaît avec sa large vision d'un "nouvel ordre mondial" pour le XXIᵉ siècle[1] ». L'auteur ajoute : « La nécessité de contenir l'influence soviétique a souvent conduit les responsables de la politique américaine à faire fi de l'idéalisme naturel de l'Amérique et à soutenir des régimes qui n'avaient que l'anticommunisme pour se racheter. Dans la mesure où les nouvelles idées présentées par Gorbatchev enlèvent de leur nécessité à ces options, elles donnent la liberté aux États-Unis et

---

1. Walter ISAACSON, « The Gorbatchev Challenge », *Time*, 19 décembre 1988.

à l'Occident de faire des choix plus positifs. Par exemple : s'attaquer aux problèmes de l'environnement qui ne peuvent être résolus sur une base nationale ; inventer de nouvelles méthodes offensives pour contenir la dissémination des armes nucléaires, chimiques et biologiques ; faire reculer la famine et la pauvreté dans le monde ; mettre fin aux conflits régionaux. » Et le commentateur de conclure que l'Union soviétique interpelle l'Amérique en s'arrogeant actuellement le « monopole » des idées novatrices.

Le défi de Mikhaïl Gorbatchev

Tel est en effet le défi lancé aujourd'hui par Mikhaïl Gorbatchev, et par tous ceux qu'il représente. Mais il faut souligner que ce défi, enfant d'une prise de conscience, est aussi issu de la nécessité pour les grands — et les moins grands — de faire des choix. Claude Julien a ici montré les contraintes de tous ordres imposées par le surarmement [2]. Il en est d'autres. Celles qui dictent leur loi à l'Union soviétique ont souvent été décrites à l'occasion du discours à l'ONU (ce qui, sous nombre de plumes, visait d'ailleurs à en mutiler le sens) : difficultés économiques, tensions sociales, blocages de la vie démocratique, rapports entre nationalités, etc. Celles aussi qui contraignent les États-Unis, après huit ans d'échec réaganien mal camouflé par une prospérité factice : environnement saccagé, services publics en ruine, insupportables injustices sociales pour des dizaines de

---

2. Claude JULIEN, « Planète », *supra*, p. 13 à 14 et « Le prix des armes », p. 79 à 93.

millions d'Américains et d'abord pour les minorités ethnoculturelles, endettements de tous ordres, recul dans certains secteurs clés de la recherche, drogue, criminalité, corruption. Robert D. Hormats, vice-président de la firme Goldman, Sachs International, et ancien secrétaire d'État adjoint pour les Affaires économiques, écrit : « Ce que l'Amérique consomme et emprunte dans les années quatre-vingt sera payé par ses citoyens dans les années quatre-vingt-dix [...]. La prochaine génération héritera de systèmes scolaires déficients, de routes et de ponts mal entretenus et d'un sinistre habitat urbain. Paul Copperman, un expert cité en 1983 par la commission nationale sur la qualité de l'éducation, l'exprima de façon brutale : "Pour la première fois dans l'histoire de ce pays, les connaissances d'une génération ne dépasseront pas, n'égaleront pas, n'atteindront pas celles de la génération précédente[3]" »

« Tournez la page de la « révolution reaganienne », demande de son côté un commentateur du *New York Times*, qui, renvoyant d'ailleurs au discours de Mikhaïl Gorbatchev, pose le problème des dépenses militaires et dénonce l'échec d'une politique de déréglementation à tous crins[4]. Un institut officiel s'alarme de son côté de la dégradation des conditions sanitaires chez les Noirs, dont l'espérance de vie a reculé pendant deux années consécutives. Et, prenant tardivement conscience de l'irresponsabilité de leurs absurdes schémas anti-

---

3. Robert D. HORMATS, « The International Economic Challenge », *Foreign Policy*, n° 71, été 1988.
4. Tom WICKER, « Turn the Page on Reagan's "Revolution" », repris dans l'*International Herald Tribune*, 14 décembre 1988.

étatiques et antisociaux, des organismes ultraconservateurs, parmi lesquels la Heritage Foundation, qui ont porté Ronald Reagan au pouvoir, lancent des appels en faveur de sans-logis [5].

Vivant dans une situation financière extrêmement précaire, dotés d'un système bancaire d'une grande fragilité, les États-Unis, pas plus que l'Union soviétique, ne peuvent à la fois commencer à régler leurs crises internes et mener une stratégie mondiale — militaire notamment — fort dispendieuse. En s'entendant avec Moscou pour éteindre des incendies régionaux, en amorçant pour la première fois une politique de désarmement et en permettant la relance des négociations de Vienne, ils font des choix qui ne sont pas de circonstance. Et ils n'optent pas en faveur de « Goebbels » contre M. Shamir, ils tentent d'amorcer le règlement d'un conflit qui contrarie désormais leurs intérêts.

Cependant, le défi de M. Gorbatchev va bien au-delà de ces considérations, ainsi que le montre une lecture globale du discours, qui ne se réduit pas à ses propositions « spectaculaires ». Le président soviétique, confirmant une politique engagée depuis quelque temps déjà [6], veut voir l'ONU et les institutions internationales en général (la Cour internationale de justice de La Haye, notamment) jouer un rôle de plus en plus important ; il atteint de ce fait de plein fouet la stratégie menée depuis huit ans par Ronald Reagan et des organisations telles que la Heritage Foundation. Mais il voit

---

5. « Conservative Urge Bush to Take Lead on Homeless », *International Herald Tribune*, 16 décembre 1988.

6. Maurice BERTRAND, « Ouvertures soviétiques », *supra*, p. 220 à 227. Sur le nouveau cours de la politique étrangère soviétique, Alain GRESH, « La diplomatie soviétique à l'épreuve », *supra*, p. 157 à 169.

bien plus loin, même s'il ne fait qu'esquisser certaines analyses.

Sortir du sentier de la guerre

Il déclare : « L'économie mondiale est en passe de devenir un organisme unique, en dehors duquel aucun État ne peut se développer normalement, quel que soit son régime et quel que soit son niveau de développement économique. Cela met à l'ordre du jour la question de l'élaboration d'un mécanisme foncièrement nouveau du fonctionnement de l'économie mondiale, d'une nouvelle structure de la division internationale du travail. » Et d'ajouter aussitôt : « Dans le même temps, la croissance économique mondiale met à nu les contradictions et les limites de l'industrialisation de type traditionnel. Son extension en ''largeur et en profondeur'' pousse vers une catastrophe écologique », — d'où la nécessité de « commencer la recherche d'un type de progrès fondamentalement nouveau [7]. »

Hanté par la catastrophe écologique en Union soviétique, et dans le monde entier (cette obsession ponctue le discours à l'ONU), Mikhaïl Gorbatchev lance, pour la première fois devant une telle instance, et à un pareil niveau de responsabilité, un débat qui, dépassant les discussions sur les taux de croissance et les modes d'organisation sociale, débouche sur la notion même du développement.

Devant les impasses sociales et écologiques de la « croissance », et l'impossibilité d'étendre à toute

---

7. Traduction officielle diffusée par le Bureau soviétique d'information.

l'humanité le mode de consommation dominant, la réflexion sur le type de développement fait des progrès [8]. Or voici qu'elle apparaît dans la bouche du dirigeant d'un très grand pays qui proclame, sept décennies après sa première révolution, qu'une autre s'impose, autrement difficile à mener, tant les cadres conceptuels en demeurent flous et tant est grande l'impréparation à la comprendre des « élites » occidentales et socialistes, sans parler de celles du tiers monde.

Car il serait utopique de penser — et Mikhaïl Gorbatchev l'a souligné — qu'une telle mutation de civilisation puisse réussir, et même avoir un sens, dans les limites d'un seul pays. L'ère est abolie des concepts de « cœxistence pacifique » ou de « supériorité d'un système sur l'autre » (ce dont les hérauts du libéralisme et les myopes de la gestion frileuse ne sont certes pas persuadés). La nécessaire purge des idées — qui, pour être apparues conquérantes il n'y a guère, n'en sont pas moins devenues antédiluviennes — concerne l'intégralité du globe. Sortir du sentier de la guerre pour tracer celui de la paix suppose des efforts intellectuels et spirituels auxquels l'humanité n'est guère accoutumée.

---

8. Ainsi qu'en témoigne notamment l'appel de Vézelay : « Pour des états généraux de la planète », publié dans le dossier « Une planète mise à sac », *Le Monde diplomatique*, octobre 1988.

Conclusion : vitales solidarités

Par Alain Gresh

En 1791, la nouvelle de la fuite de Louis XVI mit cinq jours à atteindre les coins les plus reculés de la France. Aujourd'hui, en quelques minutes, au maximum quelques heures, nous sommes au courant d'une attaque contre une caserne à Buenos Aires ou du dernier bulletin de santé de l'empereur Hirohito. En deux siècles, la planète s'est rétrécie, et la vie de chacun est affectée par des événements se déroulant à des milliers de kilomètres.

Les échanges, jusque-là confinés au niveau local ou régional, se sont internationalisés : chaque année le commerce mondial brasse plus de 3 000 milliards de dollars, intégrant de plus en plus d'activités humaines. L'avenir des paysans ivoiriens ou des mineurs boliviens dépend du cours des matières premières fixé sur les marchés à terme de New York, de Chicago ou de Londres. En France, la « contrainte extérieure » hante les gouvernements successifs. Aucun pays ne peut vivre à l'écart de ce formidable mouvement d'intégration : en témoignent les réformes chinoises et la *perestroïka*

245

soviétique. Et quand se rencontrent les dirigeants d'entreprise japonais et européens, d'Amérique du Sud et du Nord, ils parlent le même langage et partagent les mêmes valeurs : ébauche d'une « culture universelle » ?

La Terre est aujourd'hui plus exiguë, pour le meilleur et pour le pire. Le pire, c'est Tchernobyl, ce sont les Minuteman, les SS-24 ou 25 qui peuvent, à tout moment, anéantir un point du globe, voire l'ensemble de celui-ci. Mais notre planète est-elle pour autant plus « unifiée » alors que s'accélèrent, à tous les niveaux, les mécanismes d'exclusion ? D'abord au Sud dont le naufrage surprend moins que l'indifférence qui l'accompagne : à l'aune du produit national brut par habitant, l'Amérique latine a régressé de dix ans, l'Afrique de vingt ans. Et on n'évoque ici que des moyennes : à l'intérieur de chaque pays, une fraction limitée de la population accapare la majorité des richesses. Cette marginalisation se traduit aussi par la destruction, sur une échelle jamais égalée, des ressources naturelles, par la transformation de certaines régions en « poubelles de la Terre ».

Marginalisation aussi des cultures, au nom d'un universalisme équivoque qui fait de la civilisation occidentale la seule référence. Au siècle dernier, au nom de cette idéologie, le colonialisme a détruit et asservi des cultures très différenciées. Aujourd'hui, plus subrepticement, plus subtilement, il tente d'imposer, grâce à sa dynamique économique, un mode de vie unifié, avec la complicité des élites locales fascinées par le modèle de consommation occidental.

Mais les exclusions frappent aussi le Nord prétendument « développé » : le quart monde que n'avait pas réussi à résorber les « trente glorieuses » est rejoint désormais par la cohorte des « nouveaux pauvres » : jeunes, chômeurs, personnes âgées... A Paris, dans le métro, ils s'intègrent au paysage à tel point que nous ne nous étonnons même plus de ce spectacle jadis réservé aux métropoles du tiers monde.

Nous subissons tous le « mal développement » fondé sur le pillage et la destruction des ressources non renouvelables de la planète et même de la biosphère. « Nous devons tout d'abord comprendre que nous sommes embarqués sur le *Titanic*, même si certains voyagent en première classe [1] », écrit à juste titre Susan George.

Ces menaces qui pèsent sur l'humanité, les deux grands ont commencé à en prendre la mesure dans un domaine au moins, celui des armements. Même s'il s'agit avant tout de réduire d'insupportables dépenses, la nouvelle détente éloigne le spectre du cataclysme nucléaire qui rendrait vain tout débat : une planète pétrifiée n'a pas de futur. Mais les avancées sont fragiles : déjà les militaires et les complexes industriels lorgnent sur les « armes intelligentes » pour poursuivre l'escalade de la mort.

Quant au développement, jamais les certitudes des experts n'ont semblé aussi solides, ancrées dans une envolée boursière que n'affecte pas l'affairisme ambiant [2]. Les paniques suscitées par le « hoquet boursier » d'octobre 1987 ont été bien vite refoulées, comme en témoigne le discours d'investiture du nouveau président américain, George Bush : « Les hommes et les femmes du monde vont vers des marchés libres,

---

1. Susan GEORGE, *Jusqu'au cou*, La Découverte, Paris, 1988, p. 256.
2. Voir Claude JULIEN, « Affairismes », *Le Monde diplomatique*, février 1989.

par la porte de la prospérité [3]. » Et l'Union soviétique, ligotée par une crise inextricable, ne fait pas preuve en ce domaine de la capacité de proposition et d'innovation qu'elle déploie en faveur du désarmement.

Pourtant, tout montre que le système est grippé et que les tentatives de boucher les voies d'eau n'empêcheront pas le naufrage. Car nous n'affrontons pas l'une de ces crises cycliques comme le monde en a déjà connu et à laquelle un suprême effort d'austérité et de rigueur nous permettrait d'échapper. En 1973, l'Occident imputait à la hausse des prix du pétrole tous les maux économiques. Le retour du prix du baril, après 1986, à son niveau d'alors, n'a pas suscité la « reprise » augurée. Président de la République, Valéry Giscard d'Estaing ne décelait-il pas, en juillet 1978, « la fin de la crise » pour... « la fin de l'année » ? La Banque mondiale note, dans un récent rapport : « La fin de la crise de la dette ne s'est pas encore manifestée *(sic !)* et c'est peut-être là un signe indiquant la nécessité de retravailler au consensus de 1985 [4]. » A l'époque, les experts avaient pourtant juré que la « bombe » de l'endettement était désamorcée. Nouveau constat d'échec donc, nouveaux remèdes recherchés, tout aussi « scientifiques » que les précédents, et tout aussi inefficaces : comment trouver les bons remèdes alors que l'on se trompe sur le diagnostic ?

Nous vivons, comme l'écrit Jacques Robin dans un ouvrage remarquable qui vient de paraître [5], une crise

---

3. Reproduit par *Africa Wireless File*, ambassade des États-Unis à Paris, 23 janvier 1989.
4. *Les Tableaux de la dette mondiale 1988-1989*, Banque mondiale, Paris, décembre 1988.
5. Jacques ROBIN, *Changer d'ère*, Le Seuil, Paris, 1989.

qui « met en question notre civilisation jusque dans ses fondements ». Sortir des impasses où nous sommes engagés suppose en priorité que l'économie soit « remise à sa juste place : le service des hommes. Son rôle est de leur assurer, avec une gestion optimisée, la satisfaction des besoins quantitatifs fondamentaux et de leur faciliter l'accès aux besoins qualitatifs et aux désirs de chacun, pourvu qu'elle n'en assure pas le contrôle. » En un mot, il nous adjure de rompre avec l'économie qui inspire la Banque mondiale et le FMI, les gouvernements occidentaux — y compris socialistes — et de plus en plus de décideurs à l'Est.

Cette révolution de la pensée suppose aussi de « rendre à la culture la place centrale qui lui revient ». Pas seulement à « notre » culture mais aussi à celles des « autres ». Nous devons « répondre au défi de la différence », affirme le Comité pour une paix mondiale juste, composé d'intellectuels du Nord et du Sud[6] : « Un monde diversifié n'est pas la négation d'un monde unifié, mais la condition de sa possibilité. Ce défi est plus difficile à relever pour l'Occident et tous ceux qui ont assimilé les philosophies, idéologies et théologies qui insistent pour que toute différence se résorbe dans l'unité. » N'est-ce pas aussi le seul moyen de refuser l'alternative entre une culture occidentale prétendument universaliste et les divers intégrismes qui minent aujourd'hui les sociétés déstructurées par la « modernisation » ?

---

6. Pour un résumé des thèses développées par cette commission (qui compte parmi ses membres Adolfo Perez Esquivel, Richard Falk, Bibi Anderson, Mgr Desmond Tutu, Ousmane Sembene, Mohamed Sid-Ahmed), voir R.B.J. WALKER, *One World, Many Worlds. Struggles for a Just World Peace*, Zed Books, Londres, 1988.

Ce que les hommes ont en commun, écrit M. Walker au nom du Comité pour une paix mondiale juste, « c'est leur vulnérabilité, le mal développement et une planète fragile » : ce lourd héritage rend vital l'invention de nouvelles solidarités.

Bibliographie

Michel BEAUD. *L'Économie mondiale dans les années quatre-vingt*, La Découverte, Paris, 1989 : un bilan peu réjouissant, mais aussi un véritable manuel d'initiation économique.

Sissela BOK, *A Strategy for Peace*, Pantheon Books, New York, 1989 : la morale peut-elle jouer un rôle dans la recherche de la paix ?

Michel BRZOSKA, Thomas OHLSON, *Arms Transfer to the Third World 1971-1985*, SIPRI/Oxford University Press, Oxford, 1987 : comment le Nord alimente les guerres du Sud.

COMMISSION MONDIALE SUR L'ENVIRONNEMENT ET LE DÉVELOPPEMENT, *Notre avenir à tous*, éditions du Fleuve et les Publications du Québec, Montréal, 1988 : le rapport de la commission Bruntland, alarmant état des lieux de la planète.

A.C. CORNIA, R. JOLLY et F. STEWART, *Adjustment with a Human Face : Protecting the Poor and Promoting Growth*, Oxford University Press, Oxford, 1987 : surmonter les conséquences dramatiques des politiques d'ajustement structurel.

René DUMONT, *Un monde intolérable, le libéralisme en question*, Le Seuil, Paris, 1988 : une critique indignée du système dominant.

L'État du tiers monde 1989, La Découverte, Paris, 1989 : l'évolution du Sud en vingt-huit chapitres et cent articles.

FONDATION LELIO-BASSO, *Theory and Practice of Liberation at the End of the XXth Century*, Bruylant, Bruxelles, 1988 : une remise en cause radicale et stimulante de la voie occidentale et de son « universalité ».

Susan GEORGE, *Jusqu'au cou*, La Découverte, Paris, 1988 : comment meurt, sous le poids de la dette, l'autre moitié du monde.

Jerry HOUGH, *Russia and the West*, Simon & Schuster, New York, 1988 : une vision brillante et iconoclaste de la Russie d'aujourd'hui.

Serge LATOUCHE, *L'Occidentalisation du monde*, La Découverte, Paris, 1989 : méfaits d'un modèle de développement.

Richard W. LOMBARDI, *Le Piège bancaire*, Flammarion, Paris, 1985 : comment les banques ont créé la dette du tiers monde.

Evan LUARD, *The Blunted Sword*, I.B. Tauris, Londres, 1988 : l'érosion du pouvoir militaire dans la politique contemporaine.

Lilly MARCOU, *Les Défis de Gorbatchev*, Plon, Paris, 1988 : comprendre la nouvelle pensée soviétique en politique internationale.

Thomas OHLSON (sous la direction de), *Arms Transfer and Third World Security*, SIPRI/Oxford University Press, Oxford, 1988 : peut-on arrêter les ventes d'armes au tiers monde ?

State of the World 1989, W.W. Norton, New York et Londres, 1989 : le meilleur annuaire sur les dangers qui nous menacent, du sida à la déforestation, en passant par la course aux armements (traduction française à paraître aux Éditions Economica).

Pierre PRADERVAND, *Une Afrique en marche*, Plon, Paris, 1989 : une révolution silencieuse dans les villages.

La Situation des enfants dans le monde 1989, UNICEF, Genève, décembre 1988 : les premières victimes des dérèglements de la machine économique.

R.B.J. WALKER, *One World, Many Worlds. Struggles for a Just Peace*, Zed Books, Londres, 1988 : inventer un monde nouveau débarrassé de la guerre et des inégalités.

Bibliographie établie par Alain GRESH.

Table

Composition Facompo, Lisieux (Calvados)
Achevé d'imprimer en septembre 1989
sur les presses de la SEPC, Saint-Amand (Cher)
Dépôt légal : septembre 1989
Numéro d'imprimeur : 1808
Premier tirage : 4 000 exemplaires
ISBN 2-7071-1864-8